초능력 국어 독해를 사면
초능력 쌤이 우리집으로 온다!

초능력 쌤과 함께하는 지문 분석 동영상 강의 무료 제공

동아출판

친구들이 살고 싶은 곳

오늘 새싹반 친구들은 어디에서 살고 싶은지 그림을 그렸어요. 그리고 자기의 생각과 그렇게 생각한 까닭을 이야기해 보았어요.

다혜: 나는 산속에서 살고 싶어. 산속은 공기가 맑아서 건강에도 좋고, 푸른 나무와 예쁜 꽃을 매일 볼 수 있기 때문이야.

초능력 국어 독해 P단계 새싹반 친구들이 말한 생각과 그 까닭을 함께 찾아요.

글이 조금만 길어도 어떻게 읽어야 할지 막막해요. 도와줘요~ 초능력 쌤!

그건 독해를 할 때 지문 구조를 생각하지 않고 되는대로 읽기 때문이야.

지문 구조요? 글을 읽고 내용만 알면 됐지, 지문 구조도 생각해야 해요?

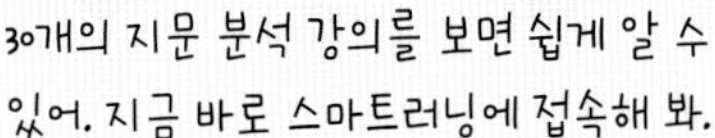

30개의 지문 분석 강의를 보면 쉽게 알 수 있어. 지금 바로 스마트러닝에 접속해 봐.

초능력 쌤이랑 공부하니 제대로 독해를 할 수 있게 되었네요!

초능력 국어 독해 무료 스마트러닝 접속 방법

방법 1

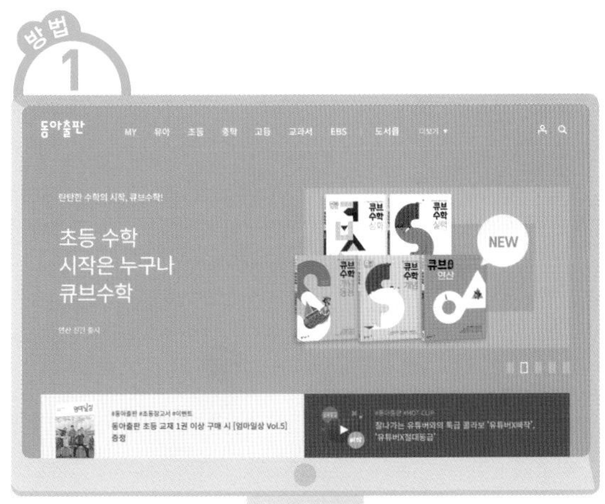

동아출판 홈페이지 www.bookdonga.com에 접속하면 초능력 국어 독해 무료 스마트러닝을 이용할 수 있습니다.

방법 2

핸드폰이나 태블릿으로 **교재 표지나 본문에 있는 QR코드**를 찍으면 무료 스마트러닝에서 지문 분석 동영상 강의를 이용할 수 있습니다.

초능력 쌤과 키우자, 공부힘!

국어 독해 P~6단계(전 7권)

- 하루 4쪽, 6주 완성
- 국어 독해 능력과 어휘 능력을 한 번에 향상
- 문학, 사회, 과학, 예술, 인물, 스포츠 지문 독해

비주얼씽킹 한국사 1~3권(전 3권)

- 한국사 개념부터 흐름까지 비주얼씽킹으로 완성
- 참쌤의 한국사 비주얼씽킹 동영상 강의
- 사건과 인물로 탐구하는 역사 논술

맞춤법+받아쓰기 1~2학년 1, 2학기(전 4권)

- 쉽고 빠르게 배우는 맞춤법 학습
- 매일 낱말과 문장 바르게 쓰기 연습
- 학년, 학기별 국어 교과서 어휘 학습

비주얼씽킹 과학 1~3권(전 3권)

- 교과서 핵심 개념을 비주얼씽킹으로 완성
- 참쌤의 과학 개념 비주얼씽킹 동영상 강의
- 사고력을 키우는 과학 탐구 퀴즈 / 토론

수학 연산 1~6학년 1, 2학기(전 12권)

- 정확한 연산 쓰기 학습
- 학년, 학기별 중요 단원 연산 강화 학습
- 문제해결력 향상을 위한 연산 적용 학습

★연산 특화 교재

- 구구단(1~2학년), 시계·달력(1~2학년), 분수(4~5학년)

급수 한자 8급, 7급, 6급(전 3권)

- 하루 2쪽으로 쉽게 익히는 한자 학습
- 급수별 한 권으로 한자능력검정시험 완벽 대비
- 한자와 연계된 초등 교과서 어휘력 향상

초능력

맨처음

국어 독해

단계

예비 초등~1학년

초능력 국어 독해 **필요한 이유**

Q	A
독해력이 무엇인가요?	독해는 '讀 읽을 독, 解 풀 해', 즉 글을 읽어서 그 뜻을 이해한다는 뜻의 말이에요. 따라서 독해력은 글을 읽는 능력을 뜻하지요. 이 독해력은 모든 공부의 기본입니다. 국어를 비롯해 수학, 사회, 과학과 같은 과목 공부도 사실 바르게 독해만 할 수 있다면 그 내용을 정확하게 이해하고 문제를 해결할 수 있기 때문입니다.
독해력을 언제부터 길러야 하나요?	보통 초등학교 입학 전에 한글만 떼면 된다고 생각합니다. 그래서 글자만 또박또박 소리 내어 읽는 수준으로 입학했다가 교과서의 많은 글밥을 보고 놀라지요. 학교에 가기 전부터 글을 읽고 무슨 내용인지 이해하는 공부 습관을 길러야 합니다. 특히, 초등학교 입학 전 유아기는 언어 능력이 폭발하는 시기이므로 의사소통 능력부터 학습 능력까지 향상시키기 위해 독해력이 꼭 뒷받침 되어야 합니다.
독해력을 기르려면 어떻게 해야 하나요?	첫째, 글의 종류에 맞는 독해 방법을 잘 알아야 합니다. 설명문, 논설문과 같은 글은 객관적인 정보나 글쓴이의 생각을 찾아보는 것이 중요합니다. 또, 시, 동화와 같은 글은 표현 방법이나 글쓴이의 마음을 이해하는 것이 중요합니다. 둘째, 처음 보는 낯선 내용의 글, 쉬운 글부터 어려운 글, 짧은 글부터 긴 글까지 꾸준히 독해 연습을 해야 합니다.
독해력을 기르면 어휘 능력, 글쓰기 능력도 키워지나요?	한 편의 글은 수많은 어휘가 의미 있게 모여 완성됩니다. 따라서 어휘의 뜻을 바르게 알고 있어야 독해를 제대로 할 수 있고, 글에 쓰인 다양한 어휘의 뜻을 알아 두면 자연스럽게 어휘 능력도 향상됩니다. 그리고 독해는 결국 하나의 핵심을 파악하는 것이 목적인 활동이므로, 글을 읽고 핵심 문장을 쓰는 글쓰기 능력도 함께 키울 수 있습니다.

그래서 초능력 국어 독해가 만들어졌습니다!

"초능력 국어 독해"는 예비 초등~6학년의 독해 수준에 맞게 단계별로 구성하여 권장 학년에 따라 학습할 수 있습니다. 독해력이 다소 부족한 경우에는 낮은 단계를 선택해 독해력을 다지기도 좋습니다. 또, 다양한 내용의 글을 수록하여 국어, 사회, 과학, 예체능 관련 지식을 습득하고, 글을 바르게 읽을 수 있게 하였습니다.

"초능력 국어 독해"로 하루 2개 지문 6주 완성!
60개의 폭넓은 소재로 쓰인 글을 30일이면 부담 없이 학습할 수 있습니다. 또, 여러 가지 유형의 독해 문제를 빠르고 정확하게 이해할 수 있습니다. 특히, "초능력 맨 처음 국어 독해"는 매일 다른 독해 방법이 적용된 짧은 글과 긴 글을 수록하여 유아도 쉽고 재미있게 독해력을 기를 수 있게 하였습니다.

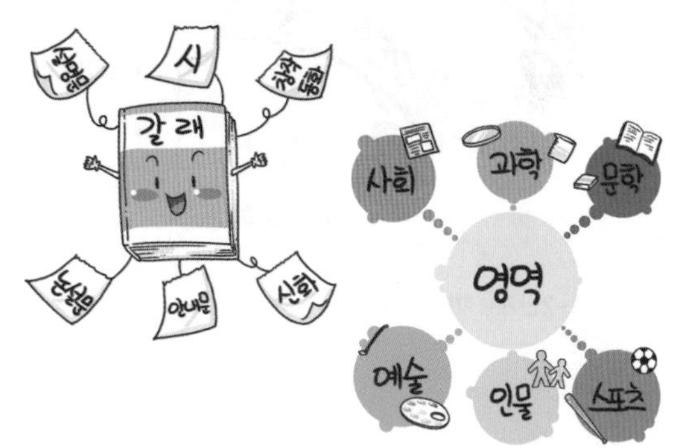

"초능력 국어 독해"로 설명문, 논설문, 일기, 생활 글, 안내문, 광고문, 시, 창작 동화, 전래 동화, 세계 명작 동화 등 여러 갈래의 글을 접할 수 있습니다. 또, 매일 매일 짧은 글부터 긴 글을 꾸준히 독해하며 글 읽는 즐거움도 얻을 수 있습니다. 그리고 국어, 사회, 과학 등과 관련한 다양한 주제의 글을 독해하며 배경지식까지 풍부하게 쌓을 수 있습니다.

"초능력 국어 독해"로 독해를 하기 위해 꼭 필요한 어휘와 자세히 알아두면 좋은 어휘를 재미있는 그림과 함께 학습할 수 있습니다. 그리고 마지막으로 자신이 읽은 글의 핵심 문장을 따라 써 보는 훈련을 반복적으로 하며 논리적인 글쓰기 능력까지 기를 수 있습니다.

초능력 국어 독해
전체 시리즈 구성

"초능력 국어 독해"는
아이의 **독해 수준에 맞게 선택**할 수 있도록 **총 일곱 단계**로 구성했습니다.
학습 발달 단계에 맞는 글을 읽고 문제를 풀며 독해력을 탄탄히 키울 수 있습니다.

국어 독해에 처음 도전하는 어린이를 위한 독해 첫걸음

P단계(예비 초등~1학년)

- 매일 짧고 쉬운 글부터 조금 더 긴 글까지 읽고 독해 문제를 풀면서 **30개의 독해 방법**을 차례대로 익히도록 했습니다.
- 독해를 시작하기 전 그림과 함께 **어휘의 뜻**을 정확하게 익히도록 했습니다.
- 세계 명작 동화, 전래 동화부터 시, 초대하는 글, 생활 글, 설명하는 글, 주장하는 글, 부탁하는 글, 대화 글까지 **다양한 형식의 글**을 수록했습니다.

바른 독해 습관을 길러야 하는 학생을 위한 독해 기본서

1~2단계(1학년~2학년)

- 글 읽기에 흥미를 느낄 수 있도록 **재미있고 다양한 주제의 글**을 매일 2개씩 독해하도록 했습니다.
- 글마다 **어휘 퀴즈**를 두어 헷갈리기 쉬운 어휘 뜻을 확인하게 했습니다.
- 창작 동화, 전래 동화, 세계 명작 동화, 시, 설명하는 글, 주장하는 글, 편지글, 안내문, 전기문, 독서 감상문 등 **여러 갈래의 글**을 맛보게 했습니다.

체계적인 독해 훈련이 필요한 학생을 위한 독해 맞춤 전략

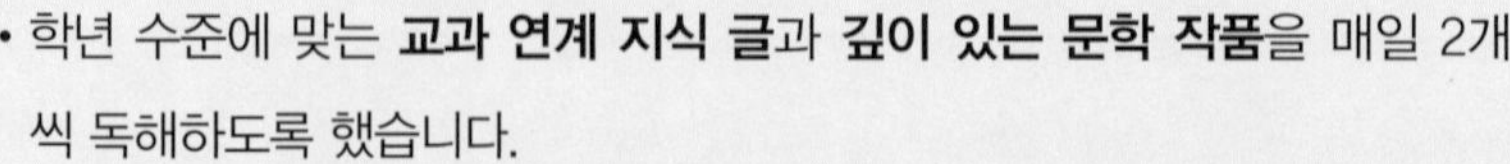

3~6단계(3학년~6학년)

- 학년 수준에 맞는 **교과 연계 지식 글**과 **깊이 있는 문학 작품**을 매일 2개씩 독해하도록 했습니다.
- 한 주 독해 학습이 끝나면 다양하고 흥미로운 **어휘 실력 문제**로 어휘력도 높이도록 했습니다.
- 기행문, 연설문, 기사문, 토론, 면담, 설명문, 논설문, 견학 기록문, 역사 기록문, 뉴스, 광고문, 고전 소설, 현대 소설, 수필, 희곡, 신화, 동화, 시조, 시 등 **배경지식부터 교과 지식까지 쌓을 수 있는 글**을 수록했습니다.

초능력 국어 독해 **무료 스마트 러닝**

"초능력 국어 독해"는
아이들이 지문의 구조를 **입체적으로 이해**할 수 있도록 **지문 분석 강의**를 제공합니다.
초능력 **무료 스마트 러닝**을 활용해서 국어 독해를 더욱 효과적으로 학습할 수 있습니다.

초능력 쌤과 함께하는 지문 분석 강의

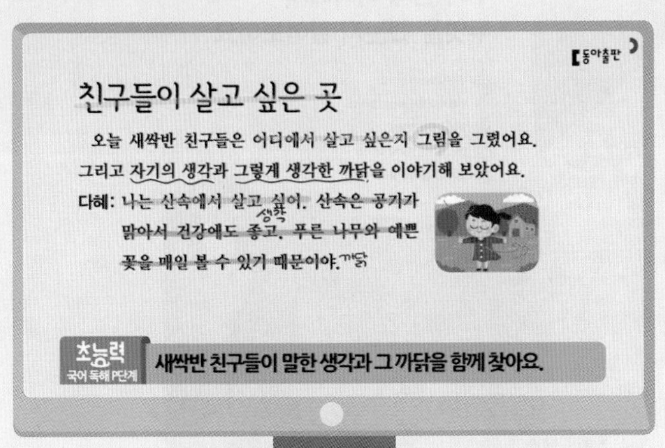

- **30개의 독해 방법을 핵심 위주로 쉽게 강의**
  예비 초등학생의 눈높이에 맞게 구성된 30개의 독해 방법을 배우며 독해 핵심 원리를 쉽고 체계적으로 이해할 수 있습니다.
- **독해 방법에 따라 다양한 지문을 분석**
  설명문, 논설문, 시, 동화 등 다양한 지문을 독해 방법에 따라 분석하여 독해를 제대로 할 수 있습니다.

초능력 국어 독해 무료 스마트러닝 접속 방법

방법 1

동아출판 홈페이지 www.bookdonga.com에 접속하면 초능력 국어 독해 무료 스마트러닝을 이용할 수 있습니다.

방법 2

핸드폰이나 테블릿으로 **교재 표지에 있는 QR코드**를 찍으면 무료 스마트러닝에서 지문 분석 동영상 강의를 이용할 수 있습니다.

맨 처음 초능력 국어 독해

학습하는 방법

1 독해 미리보기 주별로 어떤 독해 방법을 배우게 될지 한눈에 알아봅니다.

이렇게 지도하세요 재미있는 그림을 보며 독해 방법을 먼저 예상하고 이해하게 해 주세요.

2 어휘 쏙쏙 독해를 쉽게 하기 위해 글에 나오는 어휘의 뜻부터 분명하게 알아 둡니다.

어휘 쏙쏙

1 다음 낱말을 따라 쓰고, 그 뜻을 찾아 선으로 이으세요.

(1)	소개	㉮	나무와 풀이 꽉 들어찬 곳의 안쪽.
(2)	변장	㉯	진짜 모습을 숨기려고 모습을 바꾸는 것.
(3)	김밥	㉰	남이 잘 모르는 내용을 알게 이야기해 주는 것.
(4)	숲속	㉱	밥과 여러 가지 반찬을 김으로 말아 싼 음식.

이렇게 지도하세요 아이가 어려워하는 어휘는 그림과 함께 재미있게 학습하게 해 주세요.

3 짧은 글 독해, 글 독해 길이가 다른 두 개의 글을 읽으며 반복해서 훈련합니다.

지문 독해 무료 스마트러닝

1일 누가 나오는지 찾아요

어휘 쏙쏙 1 다음 낱말을 따라 쓰고, 그 뜻을 찾아 선으로 이으세요.

(1) 소 개 · · ㉮ 나무와 풀이 꽉 들어 찬 곳의 안쪽

이렇게 지도하세요

QR 코드를 찍어 매일 새로운 독해 방법을 배우고, 교재를 직접 풀면서 독해 연습을 꾸준히 하게 해 주세요.

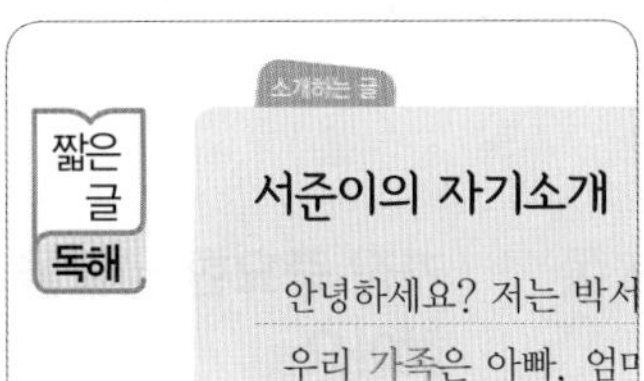
짧은 글 독해

소개하는 글

서준이의 자기소개

안녕하세요? 저는 박서

우리 가족은 아빠, 엄미

명입니다.

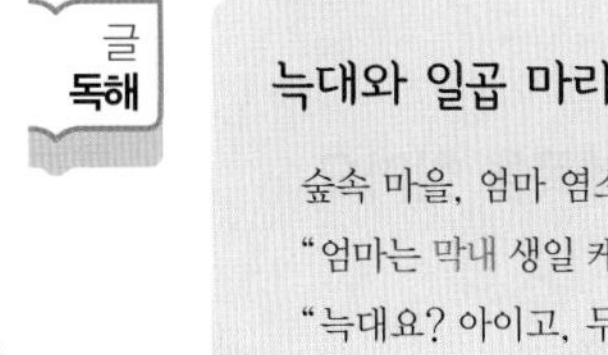
글 독해

세계 명작 동화

늑대와 일곱 마리

숲속 마을, 엄마 염소

"엄마는 막내 생일 케

"늑대요? 아이고, 무

6~7줄의 짧은 글을 읽으며 독해 연습을 하고, 조금 더 긴 글을 읽고 문제를 풀면서 독해 실력을 쌓도록 이끌어 주세요.

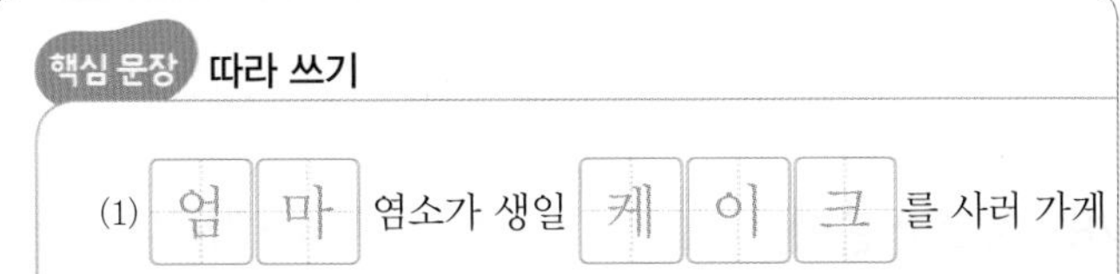
핵심 문장 따라 쓰기

(1) 엄 마 염소가 생일 케 이 크 를 사러 가게

글의 핵심 내용을 담은 문장을 따라 쓰면서 스스로 글을 제대로 읽었는지 확인하게 해 주세요.

정답 및 풀이

본문 12~15쪽

1 (1) ㉰ (2) ㉯ (3) ㉱ (4) ㉮
2 (1) 지켜보다 (2) 좋아하다
3 ④
4 (3) ○
5 (1) ○ (3) ○ (5) ○
6 ③
7 ①, ③

1 그림이 나타내는 낱말의 뜻을 바르게 기억합니다.

2 '관심을 가지고 무엇을 보다.'라는 뜻의 낱말은 '지켜보다'이고, '무엇을 좋게 여기거나 마음에 들다.'라는 뜻의 낱말은 '좋아하다'입니다.

| 오답 분석 | (1) 주고받다: 서로 주기도 하고 받기도 하다. (2) 쫓아내다: 누구를 밖으로 나가게 하다.

이렇게 지도하세요

서준이의 자기소개

이 글은 서준이가 가족, 잘하는 것과 좋아하는 것, 하고 싶은 말을 차례대로 쓴 소개하는 글입니다.

Q1 소개하는 글을 다 읽고도, '누구'를 소개하고 있는지 아이가 모르겠다고 하니 답답해요. 아이에게 어떻게 알려 줄까요?

A1 소개하는 글을 읽을 때에는 누구에 대한 글인지부터 파악해야 합니다. 자녀에게 누구의 가족이 네 명인지, 누가 수영을 잘하는지, 누가 김밥을 좋아하는지를 반복적으로 확인시켜 주세요. 그런 다음, 아래와 같이 소개하는 사람의 이름을 글에서 찾아 직접 ○표 해 보도록 지도해 주세요.

안녕하세요? 저는 (박서준)입니다.

우리 가족은 아빠, 엄마, 누나, 저 이렇게 네 명입니다. → 서준이의 가족

저는 수영을 잘합니다. → 서준이가 잘하는 것

그리고 김밥을 좋아합니다. → 서준이가 좋아하는 것

- 매일 글을 읽고 문제를 푸는 것도 중요하지만, 바르게 독해했는지 점검하는 것도 매우 중요합니다.
- '이렇게 지도하세요'를 활용해 글에서 꼭 알아 두어야 하는 내용을 짚어 주시고, 자녀가 잘못 알고 있는 내용을 설명해 주세요.

맨 처음 초능력 국어 독해

차례

안녕? 나는 독해 박사야.
나와 함께 무엇을 배울지 살펴보자!
누가
꼬마 돼지 삼 형제가
언제 어디에서
오늘 낮에 집에서
무엇을 하다
나쁜 늑대를 물리쳤어요.

1주

누가 언제 어디에서 무엇을 했는지 알아보아요

누가 나오는지 찾아요

1 다음 낱말을 따라 쓰고, 그 뜻을 찾아 선으로 이으세요.

(1)  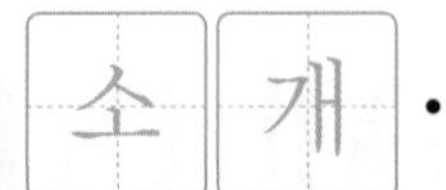

(2)  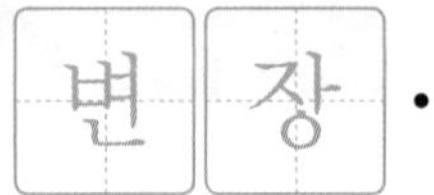

(3)  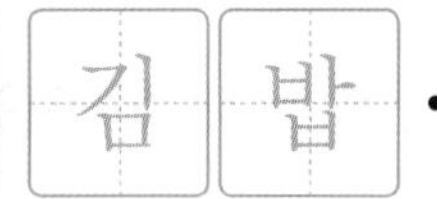

(4)  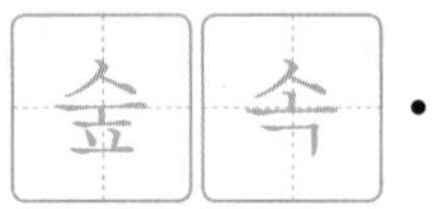

㉮ 나무와 풀이 꽉 들어 찬 곳의 안쪽.

㉯ 진짜 모습을 숨기려고 모습을 바꾸는 것.

㉰ 남이 잘 모르는 내용을 알게 이야기해 주는 것.

㉱ 밥과 여러 가지 반찬을 김으로 말아 싼 음식.

2 다음 뜻을 가진 낱말은 무엇인가요? 바르게 쓴 것을 찾아 ☐에 색칠하세요.

(1) 

관심을 가지고 무엇을 보다.

지켜보다 | 주고받다

(2)  

무엇을 좋게 여기거나 마음에 들다.

쫓아내다 | 좋아하다

소개하는 글

서준이의 자기소개

안녕하세요? 저는 박서준입니다.

우리 가족은 아빠, 엄마, 누나, 저 이렇게 네 명입니다.

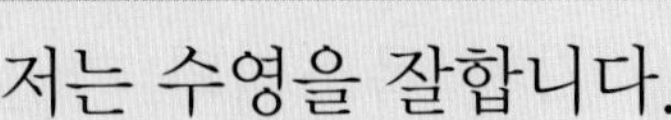

저는 수영을 잘합니다.

그리고 김밥을 좋아합니다.

앞으로 친구들과 사이좋게 지내고 싶습니다.

어휘 뜻

가족 한곳에 모여 사는 부모와 그 자식들. ㉥ 식구.

명 사람의 수를 세는 말.

3 이 글은 누구를 소개하는 글인가요? (　　　)

4 이 글에서 소개하는 사람이 좋아하는 것은 무엇인지 찾아 ○표 하세요.

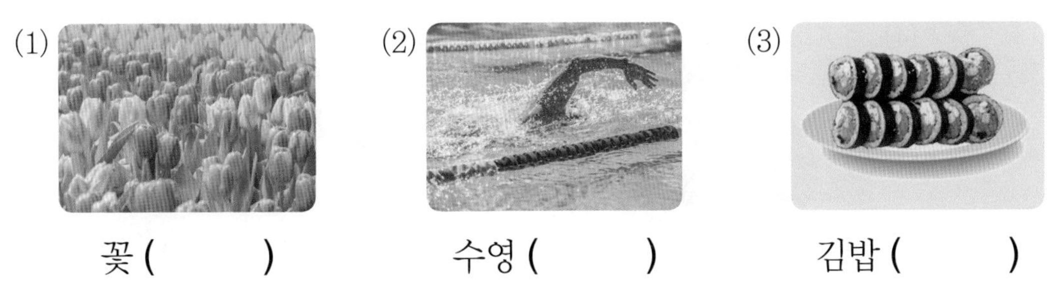

세계 명작 동화

늑대와 일곱 마리의 아기 염소

그림 형제

숲속 마을, 엄마 염소가 아기 염소 일곱 마리에게 말했어요.

"엄마는 막내 생일 케이크를 사 올게. 늑대가 올지도 모르니 조심해."

"늑대요? 아이고, 무서워!"

"늑대는 변장을 아주 잘해. 하지만 거친 목소리와 까만 발로 늑대라는 걸 알 수 있어. 나쁜 늑대에게 절대 문 열어 주면 안 돼."

"알겠어요, 엄마."

그런데 나쁜 늑대가 몰래 나무 뒤에 숨어서 지켜보고 있었어요.

어휘 뜻

막내 형제자매들 중에서 맨 마지막으로 태어난 사람이나 동물.

변장 진짜 모습을 숨기려고 얼굴, 옷차림, 머리 모양 등을 다르게 보이도록 꾸밈.

5 이 이야기에 누가 나왔는지 모두 찾아 ○표 하세요.

(1) 

엄마 염소 (　　　)

(2) 

아빠 염소 (　　　)

(3) 

나쁜 늑대 (　　　)

(4) 

할머니 염소 (　　　)

(5) 

아기 염소들 (　　　)

6 엄마 염소가 집을 비우려는 까닭은 무엇인가요? (   )

① 

막내 염소를 찾아오려고

② 

나쁜 늑대를 혼내 주려고

③ 

생일 케이크를 사 오려고

7 엄마가 알려 준, 늑대인지 알아보는 방법을 두 가지 고르세요. (,   )

① 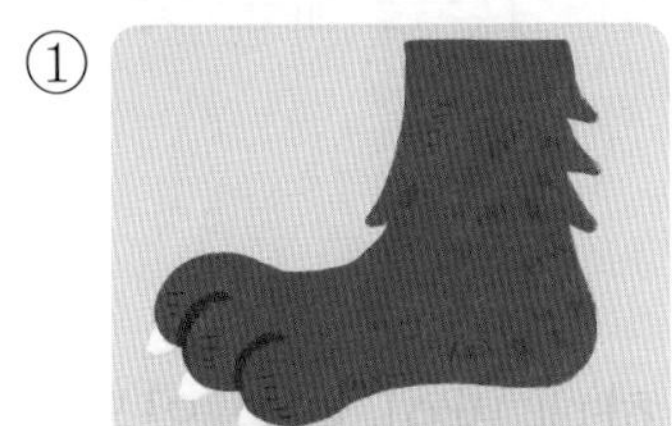

까만 발인지 봅니다.

② 

반지를 꼈는지 봅니다.

③ 

거친 목소리를 내는지 살핍니다.

핵심 문장 따라 쓰기

(1) 엄마 염소가 생일 케이크를 사러 가게 되었어요.

(2) 엄마 염소가 아기 염소 일곱 마리에게 늑대를 조심하라고 했어요.

(3) 나쁜 늑대가 엄마 염소와 아기 염소 일곱 마리를 지켜보고 있었어요.

언제 어디에서 하는지 찾아요

1 다음 그림과 뜻을 보고, 알맞은 낱말을 •보기•에서 찾아 쓰세요.

•보기•

떼　　초대　　목장

(1) 어떤 모임에 남을 오라고 하는 것. ☐☐

(2) 소·말·양 등을 놓아 기르는 넓은 곳. ☐☐

(3) 사람이나 동물이 한데 많이 모여 있는 것. ☐

2 다음 그림을 보고, 시간을 나타내는 말을 알맞게 채워 완성하세요.

초대하는 글

초대합니다

여우와 토끼야, 안녕?

내가 무서웠을 텐데 지난번 잔치에 나를 불러 주어 고마웠어. 그리고 나와 친구가 되어 주어 참 기뻐. 이번에는 우리 집에 초대할게. 함께 춤추고, 맛있는 음식을 먹자.

때: 5월 6일 저녁 6시

곳: 도토리나무 아래 우리 집

4월 3일, 호랑이가

어휘 뜻

잔치 축하할 일이 있을 때, 음식을 차리고 손님을 불러 즐기는 일.

초대 어떤 모임에 남을 오라고 하여 음식을 차려 주며 대접하는 것.

3 호랑이가 누구와 누구를 초대했나요? 빈칸에 알맞은 말을 쓰세요.

☐☐ 와 ☐☐ 를 초대했습니다.

4 호랑이와 친구들은 언제 어디에서 만나게 될까요? (   )

① 4월 3일 낮 1시, 언덕 위 토끼 집

② 5월 6일 아침 6시, 단풍나무 옆 여우 집

③ 5월 6일 저녁 6시, 도토리나무 아래 호랑이 집

글 독해

생활 글

양 떼 목장에 처음 간 날

지난 여름 방학 때, 나는 부모님과 양 떼 목장에 갔어요.

우리는 먼저 언덕 위로 갔어요. 바람이 세게 불어 날아오르는 느낌이 들었어요.

아래로 내려오면서 소, 타조, 양 떼를 보았어요. 진짜 동물들을 보니 참 신기했어요. 양에게 마른 풀을 먹일 때는 내가 양의 엄마가 된 것 같았지요.

"루아야, 양 떼 목장에 와 보니 어땠니?"

"정말 재미있었어요, 아빠! 또 와요!"

어휘 뜻

목장 소·말·양 등을 놓아 기르는 넓은 곳.
언덕 땅이 기울어져 있고 평평한 데보다 조금 높은 곳.
신기했어요 처음 보는 곳이어서 아주 놀랍고 이상했어요.

5 이 글은 언제 어디에서 일어난 일을 쓴 것인지 찾아 ○표 하세요.

(1) 언제 • • • 어젯밤 내일 저녁 여름 방학

(2) 어디에서 • • • 바닷가 놀이공원 양 떼 목장

6 '나'는 누구와 양 떼 목장에 갔나요? (   )

7 '내'가 양 떼 목장에서 본 동물을 모두 고르세요. (,   ,   )

① 
소

② 
양

③ 
타조

④ 
코끼리

8 '나'는 양에게 마른 풀을 먹일 때 어떤 기분이 들었나요? (   )

① 
참 신기했습니다.

② 
날아오르는 느낌이 들었습니다.

③ 
양의 엄마가 된 것 같았습니다.

핵심 문장 따라 쓰기

(1) '나'는 여름 방 학 때 부모님과 양 떼 목장에 갔어요.

(2) '나'는 부모님과 먼저 언덕 위로 갔는데 바 람이 세게 불었어요.

(3) '나'는 아래로 내려오면서 소 , 타 조 , 양 떼를 보았고, 양 에게 마른 풀을 먹였어요.

일어난 일을 찾아요

1 다음 낱말과 뜻이 반대인 낱말을 찾아 선으로 이으세요.

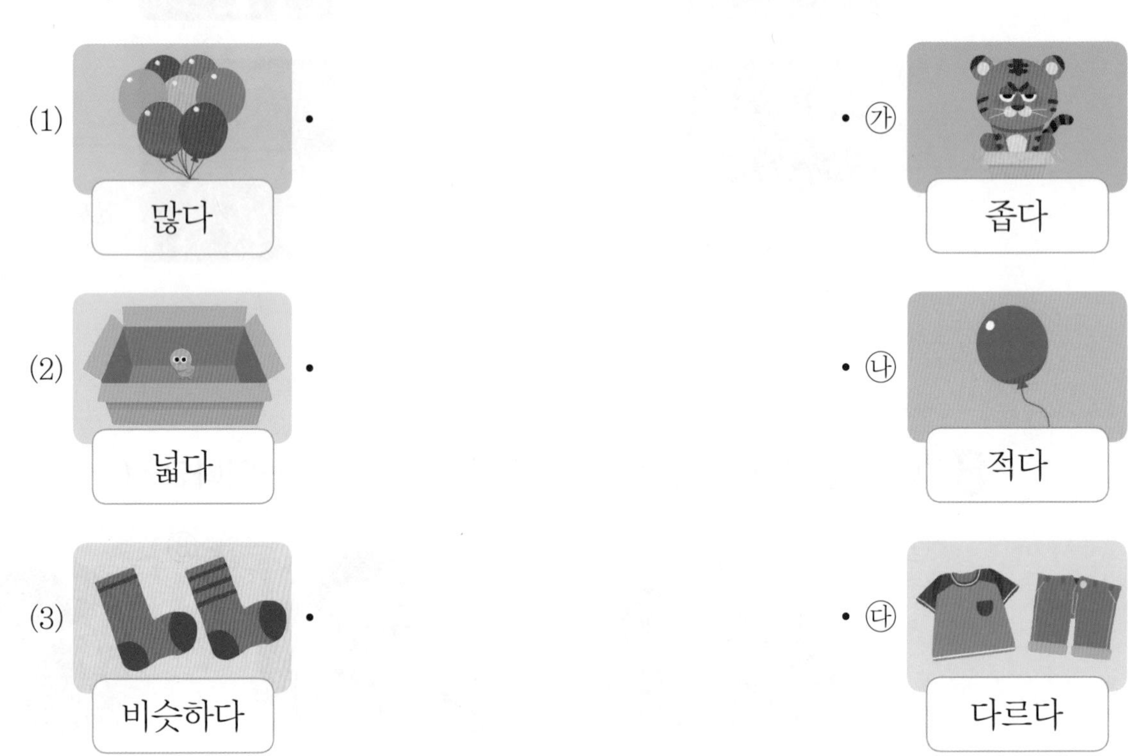

2 어려운 받침이 들어간 낱말의 뜻을 생각하며 따라 쓰세요.

밟다: 발로 디디고 누르다.

나뭇잎을 밟 다.

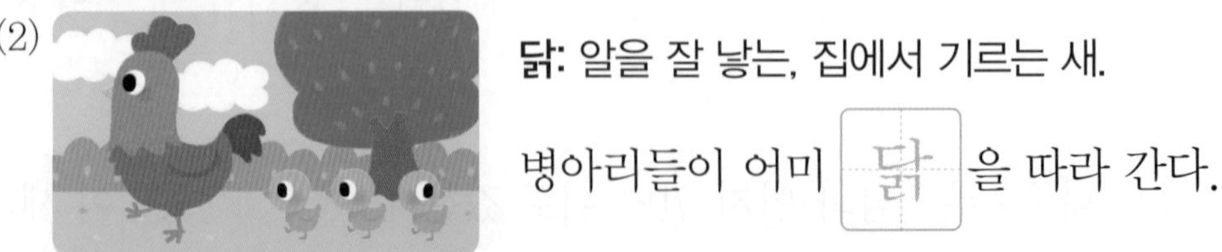

닭: 알을 잘 낳는, 집에서 기르는 새.

병아리들이 어미 닭 을 따라 간다.

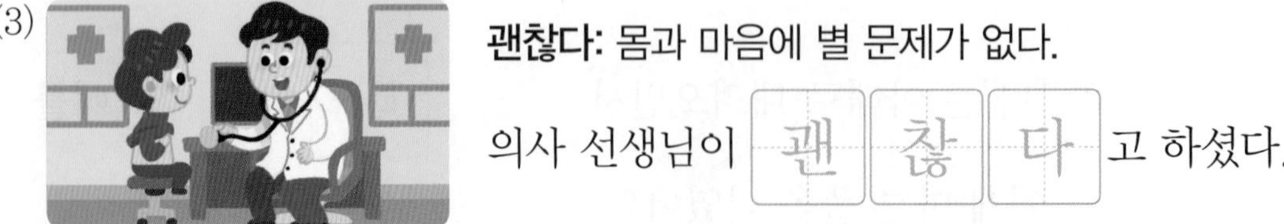

괜찮다: 몸과 마음에 별 문제가 없다.

의사 선생님이 괜 찮 다 고 하셨다.

짧은 글 독해

1주 3일

전기문

호기심이 많은 아이

언제나 호기심이 많은 에디슨은 실험하는 것을 좋아했어요.

어느 날 낮에 에디슨은 창고에서 새의 둥지와 비슷한 것을 만들었어요. 그곳에 거위와 닭의 알을 가득 채웠지요. 그러고는 알이 깨어나는지 보려고 직접 알 위에 앉아 있었어요. 하지만 알이 깨지는 바람에 바지만 더러워지고 말았어요.

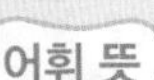

호기심 새롭거나 궁금한 일을 알고 싶어 하는 마음.
실험 어떤 것이 맞는지를 알아보려고 실제로 해 보는 일.
둥지 새가 알을 낳고 사는 곳.

3 누가 언제 어디에서 한 일을 쓴 글인지 각각 찾아 ○표 하세요.

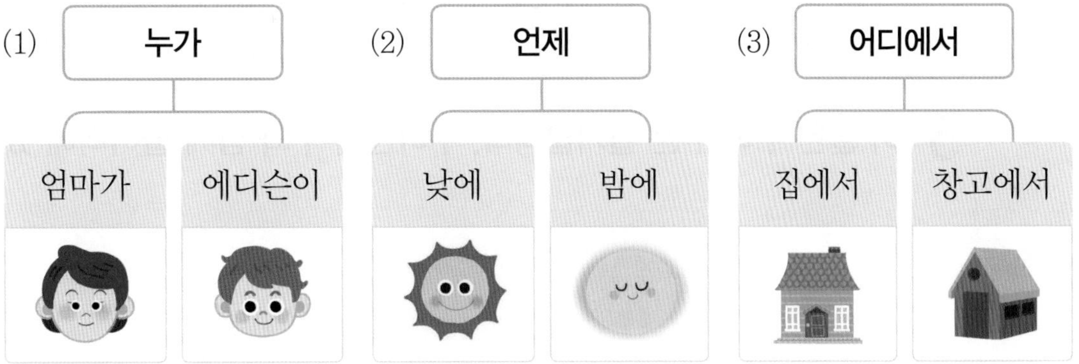

4 이 글에서 일어난 일을 두 가지 고르세요. (　　,　　)

① 에디슨이 치마를 입었습니다.
② 에디슨이 알 위에 앉아 있었습니다.
③ 에디슨이 새의 둥지와 비슷한 것을 만들었습니다.

글 **독해**

일기

수아의 일기

날짜	20○○년 5월 1일 토요일	날씨	소나기 내린 뒤 해가 쨍쨍

나는 준우와 어린이 공원에 있는 놀이터에 갔다. 오늘따라 놀이터에 아이들이 없었다.

우리는 먼저 그네를 탔다. 누가 더 높이 올라가는지 시합도 했는데 내가 이겼다. 그리고 미끄럼틀도 재미있게 타고, 철봉에도 매달렸다. 그런데 정글짐에 올라가다가 내가 그만 준우 손을 살짝 밟았다. 준우가 웃으며 "괜찮아."라고 말해 주었다. 나는 준우에게 고마웠다.

오늘 넓은 놀이터에서 준우와 마음껏 뛰어놀았다. 정말 기뻤다.

어휘 뜻

소나기 갑자기 세차게 내리다가 곧 그치는 비.
시합 누가 더 잘하는지 힘·재주 등을 겨루는 일.

5 이 글은 수아가 쓴 일기입니다. 수아는 누구와 함께 놀이터에 갔는지 쓰세요.

6 수아가 가장 먼저 탄 것은 무엇인지 찾아 ○표 하세요.

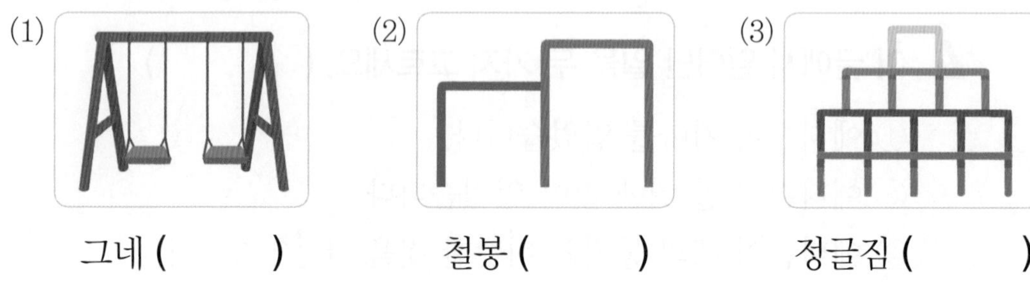

(1) 그네 (　　)　(2) 철봉 (　　)　(3) 정글짐 (　　)

7 이 일기에서 일어난 일을 떠올려 빈칸에 알맞은 말을 쓰세요.

(1) 수아가 정글짐에 올라가다 준우의 (   )을 살짝 밟았습니다.

↓

(2) 준우는 수아에게 "(   )"라고 말해 주었습니다.

↓

(3) 수아는 (   )에게 고마웠습니다.

8 오늘 수아는 어떤 마음이 들었나요? (   )

① 준우와 다투어 속상한 마음

② 아이들이 많아 놀기 힘든 마음

③ 넓은 놀이터에서 마음껏 뛰어놀아서 기쁜 마음

핵심 문장 따라 쓰기

(1) '나'는 준우와 어린이 공원에 있는 놀이터에 갔어요.

(2) 우리는 그네, 미끄럼틀, 철봉, 정글짐을 탔어요.

(3) '나'는 오늘 마음껏 뛰어놀아서 정말 기뻤어요.

4일 일이 일어난 까닭을 찾아요

지문 분석 강의

어휘 쑥쑥

1 다음 그림을 보고, [ ]에서 알맞은 말을 찾아 ○표 하세요.

(1) 

당나귀가 그만 냇물에 [총총 / 풍덩] 빠졌어요.

(2) 

강아지가 꼬리를 [살랑살랑 / 꾸벅꾸벅] 흔들어요.

(3) 

아이가 쉬가 마려워 발을 [쑥쑥 / 동동] 굴러요.

2 다음 그림을 보고, □ 안에 알맞은 글자를 쓰세요.

(1) 

		오
금	덩	□

(2) 

형	□
	비

(3) 

□	구	르	트
술			

(4) 

공	
□	채

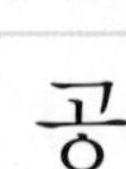

짧은 글 독해

전래 동화

1주 4일

금덩이를 풍덩! 풍덩!

어느 날 사이좋은 형제가 금덩이 두 개를 발견했어요. 형제는 기뻐하며 금덩이를 한 개씩 나누어 가지고 배를 탔어요. 그런데 갑자기 동생이 금덩이를 강물에 던졌어요.

"아니, 동생아! 그 귀한 금덩이를 왜 버린 거냐?"

"저 금덩이가 나쁜 마음이 생기게 했기 때문이에요! 형님의 금덩이가 제 것보다 커 보여서 형님이 미워졌거든요."

어휘 뜻

형제 한 부모 밑에서 자라는 남자아이들. 형과 아우.

발견했어요 이제까지 찾아내지 못했거나 세상에 알려지지 않은 것을 처음 찾아내거나 알아냈어요.

3 **배를 타기 전, 사이좋은 형제에게 일어난 일은 무엇인가요? (　　　)**

① 동생이 강물 속으로 뛰어들었습니다.

② 형제가 금덩이 두 개를 발견해 나누어 가졌습니다.

③ 다리를 건너던 형제가 금덩이와 함께 강물에 빠졌습니다.

4 **동생이 금덩이를 버린 까닭은 무엇인가요? 빈칸에 알맞은 말을 쓰세요.**

[　][　][　]를 갖고 난 뒤, [　][　]이 미워졌기 때문입니다.

글 독해

전래 동화

빨간 부채 파란 부채

옛날 어느 날, 할아버지가 산에 떨어져 있는 부채를 보았어. 하나는 빨간색이었고, 하나는 파란색이었어. 할아버지는 부채를 주워 들고 집으로 돌아왔어.

더워서 땀이 난 할머니가 빨간 부채를 살랑살랑 부쳤지. 그런데 할머니 코가 점점 길어지는 거야. 할머니는 코를 붙잡고 발을 동동 굴렀어.

할아버지는 깜짝 놀라 손에 든 파란 부채를 부쳤어. 그런데 오이보다 더 길게 늘어났던 할머니의 코가 점점 짧아지는 거야.

"허허허, 그것 참 신기하네. 이 부채는 요술 부채가 틀림없어!"

어휘 뜻

부쳤지 부채를 흔들어 바람을 일으켰지.

요술 사람의 눈을 속여 여러 가지 이상한 일을 하는 것.

5 **할아버지가 산에서 주워 온 부채의 색깔을 두 가지 고르세요. (　　,　　)**

① 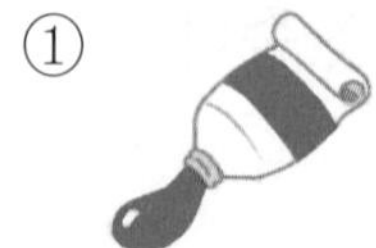 ②  ③  ④ 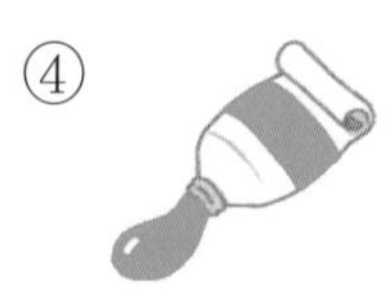

6 **할머니가 한 일은 무엇인가요? (　　　)**

① 코에 오이를 붙였습니다.

② 코가 짧아지게 했습니다.

③ 빨간 부채를 부쳤습니다.

7 할머니의 늘어났던 코가 점점 짧아진 까닭은 무엇인가요? (   )

① 할아버지가 약을 발라 주어서

② 

할아버지가 파란 부채를 부쳐서

③ 

할머니가 코를 잡고 발을 굴러서

8 할아버지는 왜 다음과 같이 말했을까요? (   )

이 부채는 요술 부채가 틀림없어!

① 부채가 산에 떨어져 있어서

② 부채를 부치면 노랫소리가 따라 나와서

③ 부채를 부치면 코가 길어질 수도 있고, 짧아질 수도 있어서

핵심 문장 따라 쓰기

(1) 옛날 어느 날, 할아버지가 산에서 부채를 주웠어요.

(2) 할머니가 빨간 부채를 부치자 할머니 코가 길어졌어요.

(3) 할아버지가 파란 부채를 부치자 할머니 코가 짧아졌어요.

지문 분석 강의

일이 일어난 모습을 찾아요

어휘 쏙쏙

1 다음 그림의 모양을 흉내 내는 말을 찾아 선으로 이으세요.

(1)  •

(2)  •

(3) 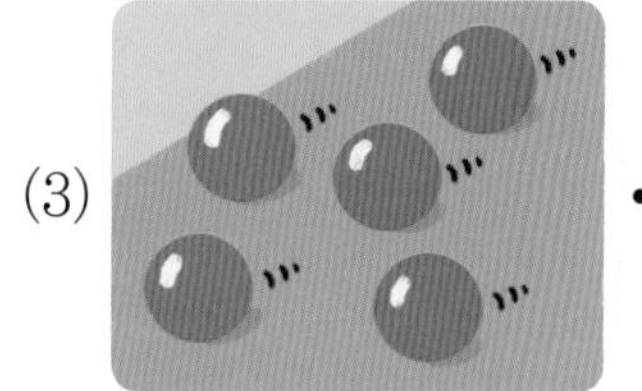 •

(4) 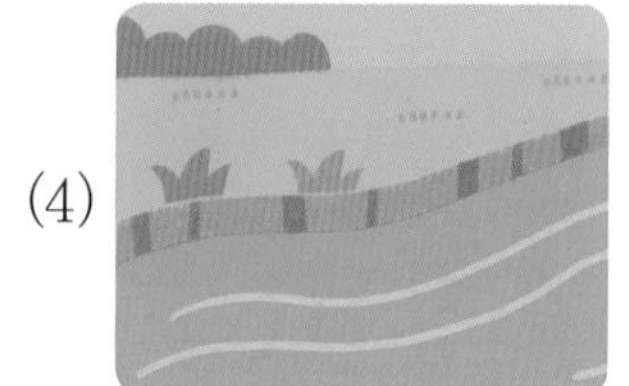 •

• ㉮ 원숭이가 매달려 가볍게 흔들리는 모양. ➡ 대롱대롱

• ㉯ 시냇물이 이어서 부드럽게 흐르는 모양. ➡ 졸졸졸

• ㉰ 비눗방울이 둥글게 맺히거나 떨어지는 모양. ➡ 방울방울

• ㉱ 작고 동그란 구슬이 가볍고 빠르게 구르는 모양. ➡ 또르르

2 다음 그림을 보고, [ ]에서 알맞은 말을 찾아 ○표 하세요.

(1) 

친구와 학교 가는 길이 [갚아요 / 같아요].

(2) 

[빗방울 / 비방울]은 하늘에서 떨어지는 비예요.

시

사진

김원석

아버지 어렸을 땐
나 같았구나.

나도
나이 먹으면
아버지 같을까?

어휘 뜻

먹으면 나이가 더 많아지면.

3 **아버지가 어렸을 때 누구와 같다고 하였는지 찾아 ○표 하세요.**

(1) '나' ( )

(2) 로봇 ( )

(3) 개구리 ( )

(4) 잠자리 ( )

4 **이 시에 가장 어울리는 모습은 무엇일까요? ( )**

① 동생과 장난감을 가지고 놀고 있는 모습
② 온 가족이 모여서 맛있는 음식을 먹는 모습
③ 한 아이가 아기였을 때의 아버지 사진을 보고 있는 모습

글 **독해**

시

빗방울

신현득

또르르
유리창에 맺혔다.

대롱대롱
풀잎에도 달렸다.

방울방울
빗방울이 모여서

졸졸졸
시냇물이 흐른다.

어휘 뜻

맺혔다 물이 작은 방울을 지어 어디에 매달렸다.
시냇물 작은 개울에서 흐르는 물.

5 말하는 이는 무엇을 보고 있나요? 빈칸에 알맞은 말을 쓰세요.

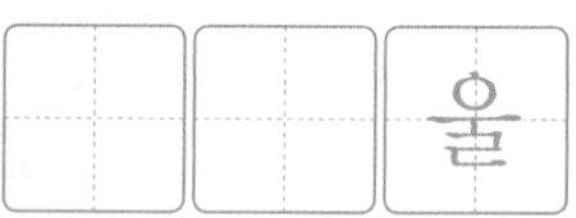

6 이 시에서 빗방울이 유리창에 맺힌 모습을 표현한 말은 무엇인가요? •보기• 에서 찾아 ○표 하세요.

•보기•

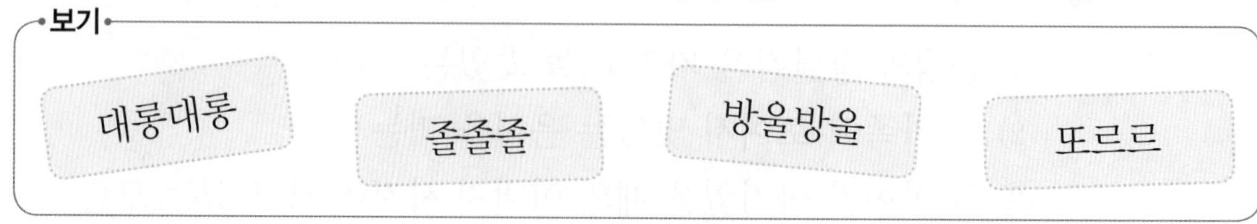

7 이 시의 내용에 맞게 알맞은 답을 찾아 ○표 하세요.

(1) 빗방울은 어디에 달려 있나요?

풀잎

개나리

(2) 빗방울이 모여서 무엇이 되나요?

나무

시냇물

8 이 시를 읽고, 떠오르는 장면을 바르게 말한 친구는 누구인가요? 친구의 이름을 쓰세요.

친구들이 모여서 비눗방울을 만들며 놀고 있어요.

서윤

한 아이가 빗방울을 가만히 바라보며 생각하고 있어요.

한나

여자아이가 부모님과 함께 계곡에서 물놀이를 하고 있어요.

건우

( )

핵심 문장 따라 쓰기

(1) 빗방울이 유리창에 맺혔고, 풀잎에 달렸어요.

(2) 빗방울이 모여서 시냇물이 흘러요.

동물원
혹시 네가
펠리컨이냐?
글을 자세히 보면
찾을 수 있어!
하얀색?
노란 목주머니?
세상에나.
목에 물고기를
동물이야?
식물이야?
펠리컨을 찾아라!
펠리컨은 하얀색이에요. 펠리컨의 부리 아
래에는 노란 목주머니가 있어요. 이 목주머니
에는 펠리컨이 낚은 물고기를 넣어 두어요.
2킬로그램이나 넣어 둘 수 있게 목주머니가
쭉 늘어나지요.

2주

내용을 이해해요

1일 낱말의 뜻을 알아요

1 다음 낱말을 따라 쓰고, 그 뜻을 찾아 선으로 이으세요.

(1) 계절 •　　• ㉮ 봄, 여름, 가을, 겨울.

(2) 외출 •　　• ㉯ 큰 불을 일으키는 작은 불덩이.

(3) 주소 •　　• ㉰ 볼일이 있어서 집 밖으로 나가는 것.

(4) 불씨 •　　• ㉱ 사람이 살거나 지내는 곳을 나타내는 이름.

2 다음 ( )에 쓰인 낱말에 포함되는 낱말을 •보기•에서 찾아 쓰세요.

•보기•

바람　　손　　겉옷　　발　　비　　치마　　학교

(1) 몸 — 머리 / ( ) / ( )

(2) 옷 — ( ) / 바지 / ( )

(3) 날씨 — ( ) / ( ) / 구름

(4) 건물 — 병원 / 도서관 / ( )

짧은 글 독해

설명하는 글

감기에 걸리지 않으려면

낮에 덥고 밤에 쌀쌀한 계절이 되면 감기에 걸리기 쉽습니다.

감기에 걸리지 않으려면 몸을 깨끗하게 씻는 것이 중요합니다. 외출했다 집에 돌아오면 꼭 손과 발을 잘 씻고, 양치질을 해야 합니다.

그리고 날씨에 어울리는 옷차림을 합니다. 두꺼운 옷만 입기보다는 얇은 겉옷을 가지고 다니며 추울 때 입습니다.
또는 옷을 여러 벌 입었다가 더울 때 벗습니다.

어휘 뜻

계절 춥고 더운 것에 따라 일 년을 넷으로 나눈, 봄·여름·가을·겨울.
외출 볼일이 있어서 집 밖으로 나가는 것.
옷차림 옷을 차려입은 것. 또는 차려입은 그 모양.

2주 1일

3 다음 중 뜻이 비슷한 낱말끼리 묶은 것은 무엇인가요? (　　　)

① 

② 

③ 

④ 

4 감기에 걸리지 않으려면 어떻게 해야 하나요? [　　]에서 알맞은 말을 찾아 ○표 하세요.

(1) 몸을 [깨끗하게 / 지저분하게] 씻습니다.

(2) [날씨 / 나이]에 어울리는 옷차림을 합니다.

안내문

불이 나면 이렇게 하세요

불이 나면 먼저 119번으로 전화를 합니다. 그 다음 불이 난 곳의 주소를 또박또박 천천히 말합니다.

"여기는 ○○구 □□로 △△번길입니다. 불이 났으니 빨리 와 주세요."

그리고 불이 난 것을 다른 사람도 알 수 있게 소리 나는 물건을 모두 두들깁니다. 또 "불이야!" 하고 크게 외치며 건물 안에서 밖으로 나갑니다.

큰 소방차와 소방관이 도착하기 전에 작은 불씨는 소화기로 끌 수도 있습니다. 따라서 소화기는 항상 가까운 곳에 준비해 두도록 합니다.

어휘 뜻

도착 가려고 하는 곳에 다다르는 것.

소화기 불이 났을 때, 불을 끄는 데 쓰는 것.

소화기 ▶ 

5 불이 나면 몇 번으로 전화해야 하나요? 빈칸에 알맞은 숫자를 쓰세요.

□□□ 번

6 다음 뜻을 지닌 낱말을 찾아 선으로 이으세요.

(1) 불을 끄는 데 쓰이는 자동차. • • ㉮ 소방차

(2) 불을 끄는 데 쓰는 고무관이 달린 작은 기구. • • ㉯ 소화기

7 불이 났을 때, 해야 할 일은 무엇인가요? (   )

① 소리 나는 물건을 모두 없앱니다.
② 불이 난 건물 안쪽에 모여 있습니다.
③ 불이 나서 전화할 때는 불이 난 곳의 주소를 말합니다.

8 이 글에서 다음 낱말과 뜻이 반대인 낱말을 찾아 쓰세요.

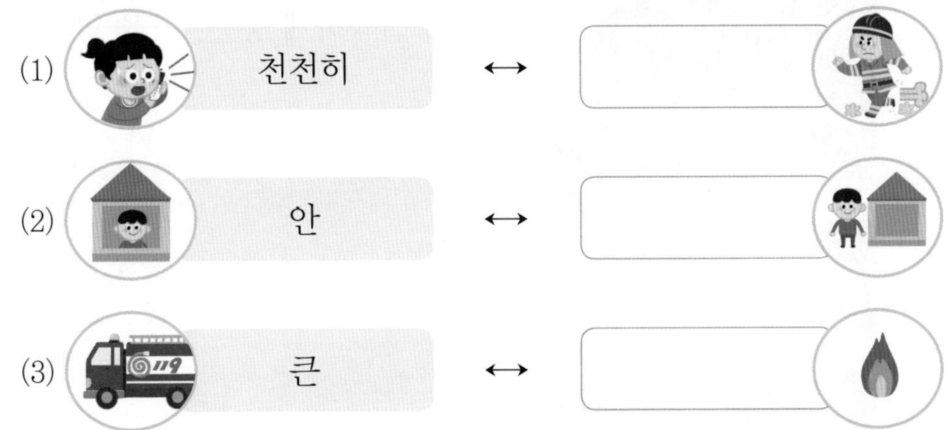

(1) 천천히 ↔ (   )

(2) 안 ↔ (   )

(3) 큰 ↔ (   )

핵심 문장 따라 쓰기

(1) 불이 나면 119번으로 전화해 불이 난 곳의 주소를 말해요.

(2) 불이 나면 물건을 두들기거나 "불이야!" 하고 크게 외치며 건물 밖으로 나가요.

(3) 작은 불씨는 소화기로 끌 수 있어요.

글에서 정보를 찾아요

1 다음 뜻을 가진 낱말은 무엇인가요? 바르게 쓴 것을 찾아 ☐에 색칠하세요.

(1) 

긴 줄로 되어 있는 무늬.

꽃무늬 | 줄무늬

(2) 

갈색의 길쭉하게 둥근, 묵을 만들어 먹는 열매.

감자 | 도토리

(3) 

사람이 안전하게 건너도록 도로 위에 표시한 것.

신호등 | 횡단보도

2 다음 그림을 보고, 장소를 나타내는 말을 알맞게 채워 완성하세요.

(1) 

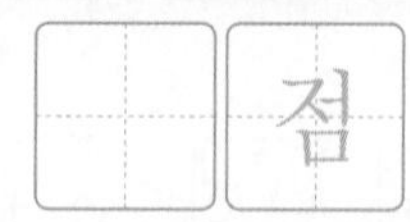

(2) 

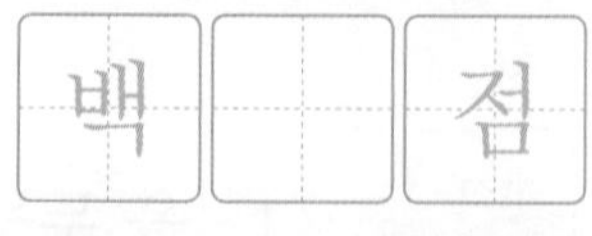

(3) 

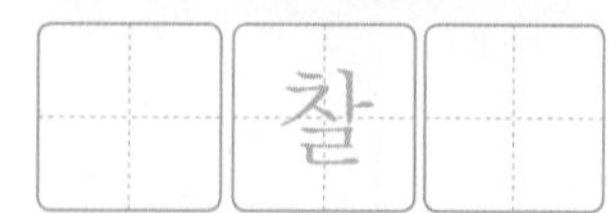

(4) 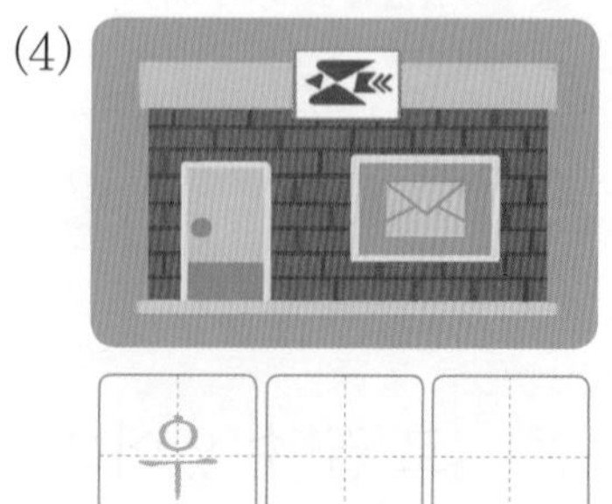

(5) 

(6) 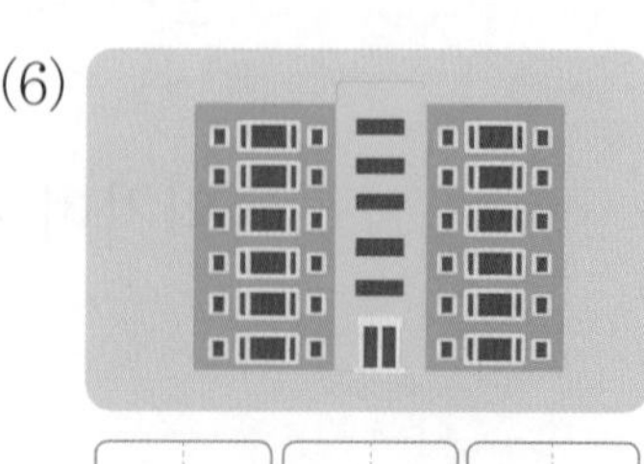

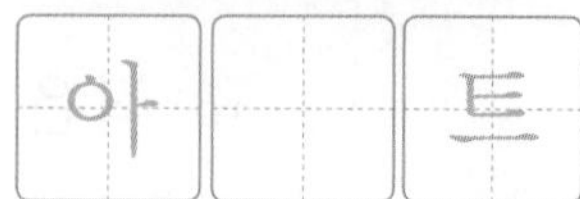

짧은 글 독해

알아맞히기 놀이

나는 무엇일까요?

- 나는 도토리를 먹습니다.
- 나는 크기가 작은 동물입니다.
- 나는 산에 살고, 나무를 잘 탑니다.
- 나의 몸은 갈색이고, 검은색 줄무늬가 있습니다.
- "산골짝에 ○○○, 아기 ○○○~"라는 동요도 있습니다.

어휘 뜻

탑니다 산, 나무, 바위 등을 밟고 오르거나 그것을 따라 지나갑니다.
산골짝 산과 산 사이의 깊숙이 들어간 곳.

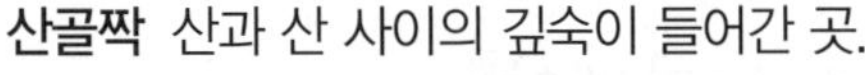

동요 어린아이들의 마음에 알맞아 아이들이 부를 만한 노래.

도토리 ▶ 

3 '나'에 대해 설명한 것이 아닌 것은 무엇인가요? (　　　)

① 크기: 작습니다.
② 친구: 호랑이입니다.
③ 먹이: 도토리를 먹습니다.
④ 생김새: 갈색이고, 검은색 줄무늬가 있습니다.

4 이 글에 주어진 내용을 볼 때, '나'는 누구일까요? 답을 찾아 ○표 하고, 빈칸에 '나'의 이름을 쓰세요.

(1) 
(　　　)

(2) 
(　　　)

(3) 
(　　　)

➡ 나는 □□□ 입니다.

대화 글

어디로 가야 할까요?

오늘 하리는 엄마의 심부름으로 오빠와 함께 두부를 사러 △△ 가게에 가야 합니다. 하리가 잘 찾아갈 수 있을지 걱정하자, 오빠가 다정하게 말했습니다.

오빠: 하리야, 내가 먼저 설명해 줄게. 어떻게 가면 될지 생각해 봐. 우리는 지금 아파트 앞에 서 있잖아. 먼저 서점이 있는 쪽으로 횡단보도를 건너. 서점 옆에 꽃집이 있지? 그 꽃집을 끼고 왼쪽으로 돌아가면 다시 횡단보도가 나와. 그 횡단보도를 건너면 경찰서가 보여. 경찰서의 바로 왼쪽에 있는 파란색 건물이 우리가 가야 할 △△ 가게야.

하리: 오빠! 잘 찾아갈 수 있을 것 같아. 우리 빨리 가 보자.

어휘 뜻

다정하게 정이 많고 마음이 따뜻하게.
횡단보도 사람이 안전하게 차도(차가 다니는 길)를 가로질러서 건너갈 수 있도록 일정한 표시를 한 길.
끼고 무엇을 옆에 가까이 두고.

5 하리는 누구와 함께 △△ 가게에 가야 하나요? (　　　)

① 엄마　　② 아빠　　③ 오빠　　④ 친구

6 다음 중 방향을 가리키는 말을 바르게 쓴 것을 두 가지 고르세요. (　　,　　)

①  왼쪽

②  위쪽

③  오른쪽

④  아래쪽

7 다음 그림에서 △△ 가게를 찾아 크게 ○표 하세요.

8 하리는 △△ 가게에 가는 동안 횡단보도를 몇 번 건넜을까요? (   )

① 2번 ② 5번 ③ 7번 ④ 10번

핵심 문장 따라 쓰기

(1) △△ 가게에 가려면 먼저 서 점 이 있는 쪽으로 횡 단 보 도 를 건너요.

(2) 서점 옆의 꽃 집 을 끼고 왼 쪽 으로 돌아가면 나오는 횡단보도를 건너요.

(3) 경 찰 서 의 왼쪽에 있는 파 란 색 건물이에요.

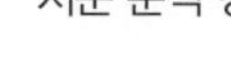

글의 내용이 맞는지 확인해요

1 다음 •보기•에서 그림이 뜻하는 낱말과 뜻이 비슷한 낱말을 찾아 쓰세요.

•보기•

만들다	내밀다	무덥다	흘리다	뿌리다
중요하다	움직이다	보호하다	문지르다	기어가다

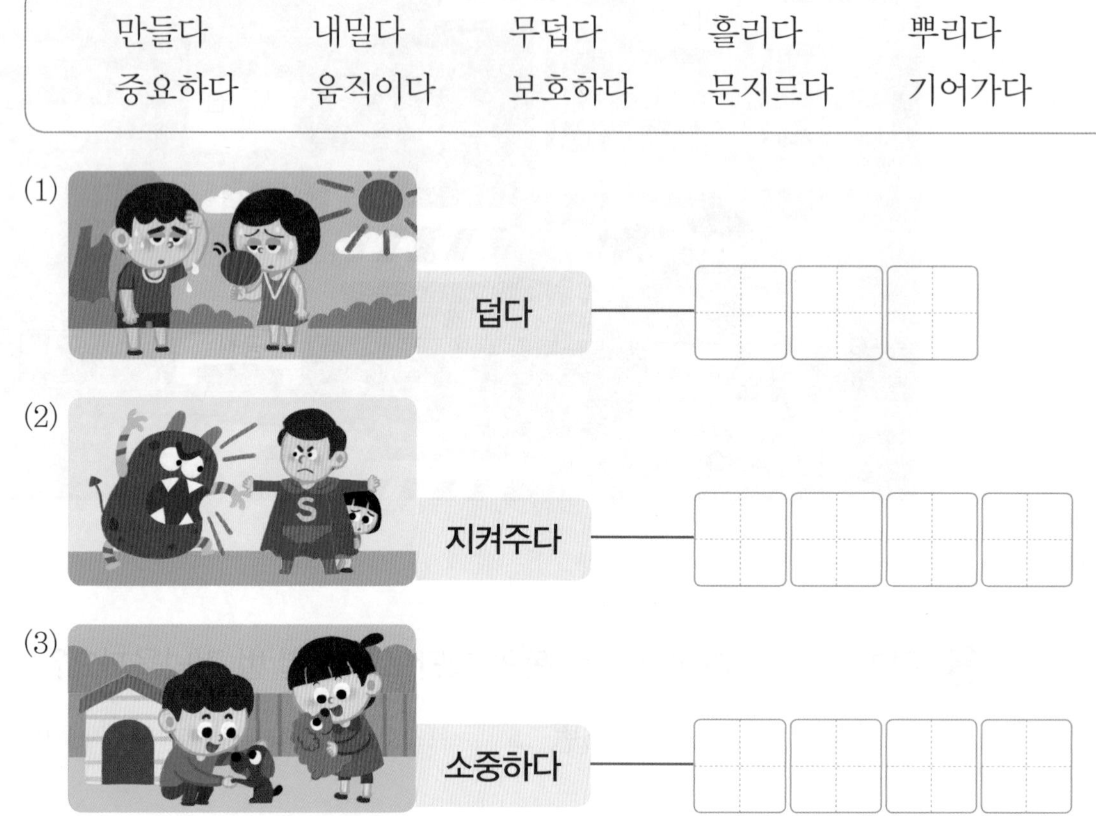

2 받침 'ㅍ'이 들어간 낱말의 뜻을 생각하며 따라 쓰세요.

(1)

덮다: 골고루 깔려 무엇을 가리다.

하얀 눈이 온 세상을 덮 다 .

(2)

무릎: 앉을 때 다리가 접히는 앞부분.

진아가 넘어져 무 릎 을 다쳤다.

짧은 글 독해

설명하는 글

강아지가 땀을 흘리지 않는 이유

무더운 날씨가 되면 사람 몸에는 땀이 줄줄 흘러요. 그런데 온몸이 털로 덮여 있는 강아지는 땀을 흘리지 않아요. 왜 그럴까요?

강아지는 땀을 만들어 몸 밖으로 내보내는 '땀샘'이 몸에 거의 없어요. 그래서 한여름에 강아지는 땀을 흘리는 대신 혀를 입 밖으로 내민답니다. 혀로 몸 안의 물을 내보내 몸을 시원하게 만드는 것이지요.

어휘 뜻

무더운 날씨가 찌는 듯하게 아주 더운.

거의 전부에서 조금 모자라게. 대부분.

3 다음 뜻을 가진 낱말을 찾아 ○표 하세요.

(1) 더위가 한창인 여름. ······· 한여름 / 한겨울

(2) 땀을 만들어 몸 밖으로 내보내는 곳. ······· 날씨 / 땀샘

(3) 덥거나 춥지 않고 기분 좋게 서늘하다. ······· 시원하다 / 시끄럽다

4 이 글의 내용으로 알맞은 것에 ○표를 하고, 알맞지 않은 것에 ×표를 하세요.

(1) 강아지는 항상 땀을 많이 흘립니다. (　　)

(2) 강아지는 땀샘이 몸에 거의 없습니다. (　　)

(3) 강아지는 한여름에 혀를 입 밖으로 내밉니다. (　　)

(4) 추운 날씨가 되면 사람 몸에 땀이 줄줄 흐릅니다. (　　)

글 독해

설명하는 글

뼈가 하는 일

우리가 무릎이나 팔꿈치를 살살 문질러 보면 단단한 것이 만져지지요. 이것이 바로 뼈예요. 코와 귀에는 물렁물렁한 뼈도 있어요.

뼈는 우리 몸의 기둥 역할을 해요. 뼈가 있어서 우리는 똑바로 설 수도 있고, 움직일 수도 있으며 몸의 모양을 만들 수도 있기 때문이에요.

뼈는 우리 몸속의 중요한 곳을 보호하기도 해요. 머릿속의 뇌, 배 속의 내장, 가슴 속의 심장과 허파……. 모두 뼈가 안전하게 보호하고 있어요.

이 밖에도 뼈는 우리 몸속에 흐르는 피를 만드는 일도 해요.

어휘 뜻

뇌 머릿속에 있는, 생각·기억·마음·행동 등을 다스리는 기관.
내장 가슴과 배 속에 들어 있는 위·창자·간과 같은 여러 기관.
심장 피를 핏줄 속으로 밀어내어 돌게 하는 기관.

5 이 글은 무엇이 하는 일을 썼나요? 빈칸에 알맞은 말을 쓰세요.

[   ]가 하는 일

6 뼈에 대한 설명으로 알맞은 것은 무엇인가요? 답을 두 가지 찾아 기호를 쓰세요.

㉮ 물렁물렁한 뼈는 없습니다.
㉯ 뼈는 우리 몸의 기둥 역할을 합니다.
㉰ 코와 귀에는 뼈가 들어 있지 않습니다.
㉱ 뼈는 무릎이나 팔꿈치에 있는 단단한 것입니다.

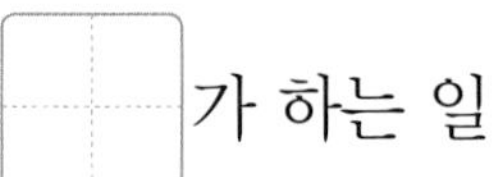

7 이 글에서 뼈가 보호하는 것을 한 가지 더 찾아 쓰세요.

- 머릿속의 뇌
- 배 속의 내장
- 가슴 속의 심장
- 가슴 속의 ____________

8 이 글의 내용을 바르게 말한 친구는 누구인가요? 친구의 이름을 쓰세요.

규민

서현

리안

( )

핵심 문장 따라 쓰기

(1) 뼈는 우리 몸의 기둥 역할을 해요.

(2) 뼈는 우리 몸속의 중요한 곳을 보호해요.

(3) 뼈는 우리 몸속에 흐르는 피를 만들어요.

지문 분석 강의

글쓴이의 생각을 찾아요

어휘 쏙쏙

1 다음 (   ) 안에 들어갈 알맞은 말을 찾아 ○표 하세요.

(1)

버리다: 필요가 없는 물건을 내던지다.

벌리다: 붙어 있는 것을 떼어 놓거나 열다.

㉮ 하마가 입을 크게 (버리다 , 벌리다).

㉯ 청소를 끝내고 쓰레기를 많이 (버리다 , 벌리다).

(2)

반드시: 틀림없이 꼭.

반듯이: 물건이 비뚤어지지 않고 바르게.

㉮ 책이 (반드시 , 반듯이) 꽂혀 있다.

㉯ (반드시 , 반듯이) 나는 오늘 숙제를 다 끝낼 것이다.

(3)

늘이다: 본래보다 더 길게 하다.

느리다: 어떤 동작을 하는 데 걸리는 시간이 길다.

㉮ 달팽이는 (늘이다 , 느리다).

㉯ 두 명의 친구가 힘을 합쳐 고무줄을 길게 (늘이다 , 느리다).

(4)

걸음: 두 다리를 번갈아 떼어 움직이는 것.

거름: 농사지을 때 식물이 잘 자라라고 흙에 넣어 주는 것.

㉮ 아기의 (걸음 , 거름)이 귀엽다.

㉯ 농부가 (걸음 , 거름)을 밭에 뿌린다.

짧은 글 독해

칭찬하는 글

훌륭한 어린이상

상장

훌륭한 어린이상　　　　사랑반 강예솔

위 어린이는 매일 교실 화분에 물을 빠뜨리지 않고 주기 때문에 이 상장을 주어 칭찬합니다.

7월 6일

멋진 친구 이서진

어휘 뜻

훌륭한 아주 좋아서 꾸짖을 곳이 없는.

상장 뛰어난 솜씨가 있거나 바른 행동을 한 사람을 칭찬하는 글을 적은 것.

2 이 글에서 누가 어떤 상을 받았는지 찾아 쓰세요.

(1) 누가: 사랑반 (　　　　　　　　　　)

(2) 상 이름: (　　　　　　　　　　)상

3 이 글에서 서진이의 생각은 무엇인지 찾아 색칠하세요.

(1) 나는 예솔이처럼 매일 교실 화분에 물을 주기 싫어.

(2) 나는 교실 화분에 물을 빠뜨리지 않고 주는 예솔이를 칭찬하고 싶어.

글 독해

생활 글

쓰레기는 쓰레기통에

나는 할아버지와 산에 가는 것을 좋아합니다. 나는 오늘도 할아버지를 따라 느린 걸음으로 마을 뒷산에 올라갔습니다.

"세상에 웬 쓰레기가 이렇게 많아?"

할아버지께서 말씀하셨습니다.

뒷산에는 빈 병부터 휴지, 과자 봉지 등 쓰레기가 많이 있었습니다.

할아버지와 나는 쓰레기들을 주워서 운동 기구 옆에 있는 쓰레기통에 버렸습니다. 뒷산은 금방 깨끗해졌습니다.

'함부로 버리지 않았다면 일부러 치우지 않아도 되는데…….'

나는 쓰레기를 반드시 쓰레기통에 버려야겠다고 생각했습니다.

어휘 뜻

웬 어찌 된.
함부로 생각 없이 마구. 되는대로.

4 **글쓴이가 한 일을 두 가지 고르세요. (　　,　　)**

① 할아버지와 쓰레기를 주웠습니다.
② 할아버지와 열심히 운동을 했습니다.
③ 할아버지를 따라 마을 뒷산에 올라갔습니다.

5 **글쓴이가 들은 것과 생각한 것을 찾아 선으로 이으세요.**

(1)	들은 것 •	• ㉮	세상에 웬 쓰레기가 이렇게 많아?
(2)	생각한 것 •	• ㉯	함부로 버리지 않았다면 일부러 치우지 않아도 되는데…….

6 글쓴이가 뒷산에서 처음 본 모습은 무엇인가요? (   )

① 
놀이터

② 많은 배

③ 
많은 쓰레기

7 글쓴이의 생각으로 알맞은 것은 무엇인가요? (   )

① 
할머니가 보고 싶다.

② 
산보다 바다가 좋다.

③ 
할아버지와 이야기를 더 나누고 싶다.

④ 
쓰레기를 반드시 쓰레기통에 버려야겠다.

핵심 문장 따라 쓰기

(1) 글쓴이는 할아버지와 마을 뒷산에 갔어요.

(2) 뒷산에는 쓰레기가 많이 있었어요.

(3) 글쓴이는 쓰레기들을 주워 쓰레기통에 버리며 쓰레기를 반드시 쓰레기통에 버려야겠다고 생각했어요.

인물의 마음을 알아요

지문 분석 강의

1 다음 그림을 보고, 빈칸을 알맞게 채워 낱말을 완성하세요.

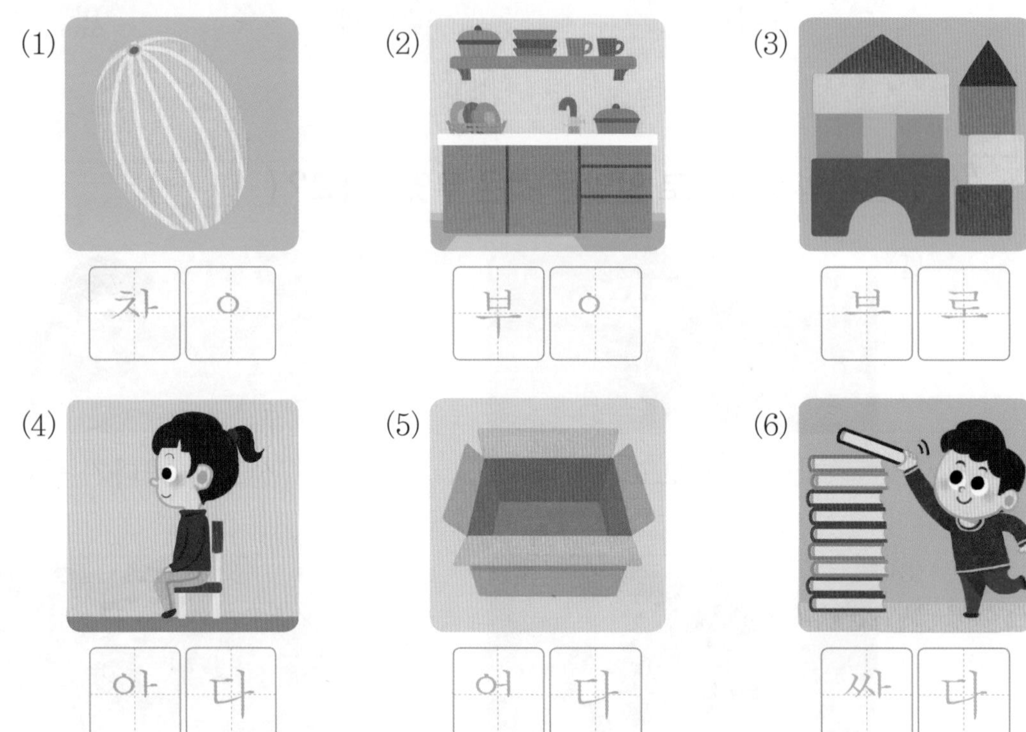

2 다음 그림을 보고, [　　]에서 알맞은 흉내 내는 말을 찾아 ○표 하세요.

(1)

아기가 [엉엉 / 방긋방긋] 울면서 엄마에게 갔어요.

(2)

갑자기 친구가 뛰어와서 [꽝 / 사르르] 부딪혔어요.

(3)

힘을 주어 글씨를 쓰니 연필심이 [똑 / 멍멍] 부러졌어요.

짧은 글 독해

시

과일 이야기

엄기원

앵두는 작아도 귀여워 좋고
자두는 자줏빛 진해서 좋고
노오란 참외는 달아서 좋고
새빨간 수박은 시원해 좋지.

어휘 뜻

자줏빛 짙은 남빛과 붉은빛이 합친 빛.

3 이 시에서 아이들이 말한 과일 중 시원해서 좋은 것은 무엇인가요? (　　　)

① 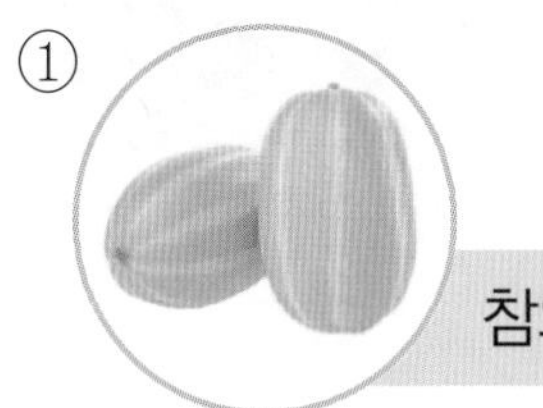 참외

②  사과

③  수박

④  복숭아

4 이 시에서 아이들의 마음은 어떠한가요? (　　　)

①  그림을 그리고 싶은 마음

②  맛있는 과일을 좋아하는 마음

③  신나게 줄넘기 하고 싶은 마음

글 독해

창작 동화

개구쟁이 내 동생

나은희

웅이가 나타나 꽝! 기찻길을 똑 부러뜨렸어요. 솔이는 화가 났어요.

"엄마 배 속으로 다시 들어가!"

웅이는 엉엉 울며 엄마를 찾으러 가요. 솔이는 씩씩대다 잠이 들어요.

잠이 깬 솔이가 신나게 놀아요. 블록으로 성을 높이 쌓고, 기찻길도 길게 만들지요.

그런데 한참을 앉아 놀아도 웅이가 나타나지 않아요. 솔이는 겁이 났어요. 방에도 거실에도 부엌에도 웅이는 없었어요.

커튼 뒤로 웅이의 곰 놀잇감이 보여요.

"휴우, 정말 엄마 배 속으로 들어간 줄 알았잖아. 미안해, 웅이야."

어휘 뜻

씩씩대다 화가 나거나 숨이 차서 숨을 자꾸 크게 내쉬다.

한참 꽤 오랜 시간.

5 다음 중 기찻길을 부러뜨린 사람은 누구인지 찾아 ○표 하세요.

(1) 솔이 (　　　)　　(2) 웅이 (　　　)

6 웅이가 한 일은 무엇인가요? (　　　)

① 잠에서 깬 다음 블록 놀이를 재미있게 했습니다.

② 솔이가 화를 내자 엉엉 울며 엄마를 찾으러 갔습니다.

③ 솔이에게 엄마 배 속으로 다시 들어가라고 말했습니다.

7 솔이가 겁이 난 까닭은 무엇인가요? ( )

① 오늘 해야 할 숙제를 하지 않았기 때문에
② 웅이의 곰 놀잇감이 무섭게 생겼기 때문에
③ 한참을 놀아도 웅이가 나타나지 않았기 때문에

8 이 이야기에 나타난 솔이의 마음을 생각하며 빈칸에 들어갈 알맞은 낱말을 찾아 선으로 이으세요.

(1) 웅이를 다시 만난 솔이는 웅이에게 [ ] • • ㉮ 미안했습니다.

(2) 웅이가 나타나 기찻길을 부러뜨려서 솔이는 [ ] • • ㉯ 화가 났습니다.

핵심 문장 따라 쓰기

(1) 웅이가 기찻길을 부러뜨려서 화가 난 솔이는 웅이에게 엄마 배 속으로 다시 들어가라고 말했어요.

(2) 웅이가 엄마를 찾으러 가서 한참이 지나도 나타나지 않았어요.

(3) 솔이는 다시 만난 웅이에게 미안하다고 했어요.

엉엉
금도끼
은도끼
무엇이 네 것이냐?
제 것은 쇠도끼입니다.

3주

꼼꼼히 읽어요

1일 제목을 찾아요

2일 가장 중요한 낱말을 찾아요

3일 주제를 찾아요

4일 교훈을 찾아요

5일 글을 쓴 목적을 찾아요

제목을 찾아요

지문 분석 강의

1 다음 그림과 설명을 보고, •보기•에서 알맞은 낱말을 찾아 쓰세요.

•보기•

백성 거문고 가마솥 한숨 설날 설렁탕

(1) ☐☐: 명절로 지내는 새해의 첫날.

(2) ☐☐☐: 쇠로 만든 아주 큰 솥.

(3) ☐☐: 우리나라에 살던 사람을 가리키는 옛날 말.

(4) ☐☐: 걱정하거나 슬프고 답답할 때 길게 내쉬는 숨.

(5) ☐☐☐: 소의 머리·뼈·내장 등을 물에 푹 끓여서 만든 국.

(6) ☐☐☐: 여섯 개의 줄을 튕겨서 소리를 내는, 오동나무로 만든 한국의 악기.

짧은 글 독해

유래 이야기

선농단에서 생긴

옛날 우리나라에서는 봄이 되면 왕과 신하, 백성들이 '선농단'에 모였어요. 이곳에서 함께 제사를 지내고, 왕이 밭도 갈았어요.

그동안 가마솥에는 음식이 부글부글 끓었어요. 제사를 지낸 소의 뼈와 고기 등을 넣고 국을 끓인 것이에요. 국이 다 끓으면 사람들은 국물에 밥을 말아 나누어 먹었어요.

선농단에서 먹던 이 음식은 '선농탕'이라 불리다가 오늘날 '설렁탕'이 되었어요.

어휘 뜻

제사 죽은 조상에게 절을 하며 음식을 바치는 것.

가마솥 쇠로 만든 아주 큰 솥.

2 이 글을 읽고, 알 수 있는 내용은 무엇인가요? 기호를 찾아 쓰세요.

㉮ 옛날 겨울에 선농단에 사람들이 모였습니다.
㉯ 선농탕은 돼지의 뼈를 넣고 국을 끓인 것입니다.
㉰ 옛날 선농단에서 먹던 음식이 오늘날 설렁탕이 되었습니다.

3 에 들어갈 제목으로 알맞은 말은 무엇인가요? (　　　)

① 
김치

② 
갈비찜

③ 
삼계탕

④ 
설렁탕

3주 1일

글 **독해**

전기문

거문고를 사랑한

신라에 백결 선생이 살았어요. 사람들은 백결 선생의 옷에 꿰맨 곳이 백 군데여서 '백결 선생'이라고 불렀어요. 이렇게 가난했지만 백결 선생은 그 누구도 부럽지 않았어요. 거문고가 있었기 때문이지요.

설날이 다가오자 마을 사람들은 떡을 만들었어요. 쿵! 덕! 쿵! 덕! 떡방아 소리가 온 마을에 퍼졌어요. 하지만 백결 선생의 집은 떡을 만들 쌀이 없었어요. 백결 선생의 아내는 깊은 한숨을 내쉬었어요.

"부인, 너무 속상해하지 마시오. 대신 내 거문고 소리 한번 들어 보겠소? 방아 찧는 소리라오."

쿵덕쿵덕, 쿵덕쿵덕.

그 소리에 사람들은 춤을 추고, 온 나라에 거문고 소리가 울렸어요.

어휘 뜻

꿰맨 해지거나 뚫어진 데를 바느질하여 깁은.

떡방아 떡을 만들 쌀을 가루로 만드는 방아.

4 **백결 선생이라 불린 까닭은 무엇인가요? (　　　)**

① 옷이 백 벌 있었기 때문에

② 친구가 백 명 있었기 때문에

③ 옷에 꿰맨 곳이 백 군데였기 때문에

5 **백결 선생이 연주한 악기는 무엇인가요? (　　　)**

①
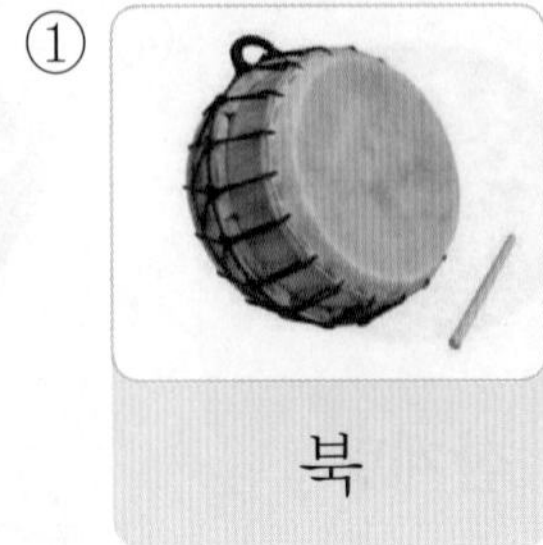
북

②
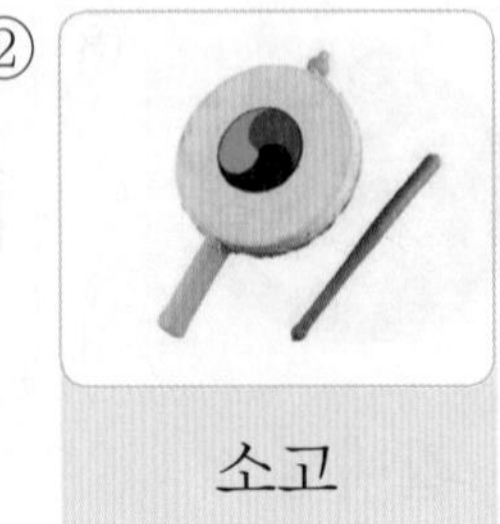
소고

③

거문고

④

꽹과리

6 백결 선생이 거문고로 낸 소리는 무엇인가요? (   )

① 
방아 찧는 소리

② 
아내의 한숨 소리

③ 
쌀밥을 짓는 소리

④ 
떡을 맛있게 먹는 소리

7 이 글의 제목은 무엇일까요? 빈칸에 알맞은 말을 쓰세요.

"거문고를 사랑한 □□ □□"

핵심 문장 따라 쓰기

(1) 백결 선생은 가난했지만 거문고가 있어서 그 누구도 부럽지 않았어요.

(2) 설날이 다가오자 마을 사람들이 떡을 만들었는데, 백결 선생의 집은 떡을 만들 쌀이 없었어요.

(3) 백결 선생은 거문고로 방아 찧는 소리를 냈어요.

2일 가장 중요한 낱말을 찾아요

어휘 쏙쏙

1 다음 그림을 보고, [ ]에서 바르게 쓴 말을 찾아 ○표 하세요.

(1)

아빠가 [방구 / 방귀]를 뿡 뀌어요.

(2)

경민이가 문 [박 / 밖]에서 기다려요.

(3)

선생님이 이름표를 [붇혀 / 붙여] 주셨어요.

(4)

국이가 바나나 [꼽질 / 껍질]을 까고 있어요.

(5)

희아가 운동하며 [소하 / 소화]시키고 있어요.

(6)

형이 어제 주운 나뭇가지를 [꺾고 / 꺽고] 있어요.

설명하는 글

방귀는 어떻게 나올까요?

우리가 음식을 먹을 때 공기도 배 속으로 들어옵니다. 배 속에 들어온 공기는 음식과 함께 몸 안(음식을 소화시키거나 모아 두는 곳)을 여행합니다. 그러고는 냄새를 내며 몸 밖으로 나오게 됩니다. 이것이 방귀랍니다.

모든 동물은 방귀를 뀌고, 우리도 보통 하루에 열 번도 넘게 방귀를 뀝니다. 방귀를 오래 참으면 병이 될 수도 있으니 너무 참지 마세요.

어휘 뜻

공기 지구를 둘러싼 것으로, 모양이 없음. 사람이 숨을 쉴 때 들어오거나 나가는 것.

소화 사람이나 동물이 먹은 것을 배 속에서 잘게 나누어서 영양분으로 빨아들이는 것.

2 **이 글의 내용으로 알맞지 않은 것은 무엇인가요? (　　　)**

① 모든 동물은 방귀를 뀝니다.
② 방귀는 오래 참을수록 좋습니다.
③ 사람은 보통 하루에 열 번 넘게 방귀를 뀝니다.

3 **제목과 글에 다음 낱말이 몇 번씩 나오는지 세어 □에 숫자를 쓰세요. 그리고 글에서 가장 중요한 낱말도 무엇인지 쓰세요.**

➡ 글에 가장 많이 나온 □□가 가장 중요한 낱말입니다.

글 독해

설명하는 글

재미있는 식물 이름

우리 주변에는 재미있는 이름을 가진 식물이 많이 있어요. 식물의 이름이 어떻게 지어졌는지 몇 가지 살펴볼까요?

1 **자작나무**: 불에 탈 때 자작자작 하는 소리가 나서 자작나무라고 해요. 나무껍질이 유난히 하얘서 별명은 귀족나무이지요.

2 **생강나무**: 봄철 산에서 가장 먼저 꽃이 피는 생강나무는 줄기를 꺾으면 생강 냄새가 나서 생강나무예요.

3 **국수나무**: 가난했던 옛날 껍질을 벗기면 드러나는 줄기가 하얀 국수 가락과 비슷해서 붙여진 이름이에요.

4 **애기똥풀**: 줄기에 상처를 내면 노란 물이 나오는데, 그것이 아기의 똥과 같다고 해서 지어진 이름이에요.

어휘 뜻

생강 맛이 맵고 향기가 좋아서 차의 재료나 양념으로 쓰고 한약 재료로 쓰는 우툴두툴한 뿌리.
가락 가늘고 길게 늘인 물건의 낱개.
상처 몸을 다쳐서 상한 자리.

4 이 글에서 설명하고 있는 것은 무엇인가요? (　　　)

① 동물과 식물의 다른 점
② 꽃을 피우는 나무의 종류
③ 식물의 이름이 지어진 까닭

5 별명이 귀족나무인 것은 무엇인가요? (　　　)

① 자작나무　② 생강나무
③ 국수나무　④ 애기똥풀

6 줄기에서 나오는 노란 물이 아기의 똥과 같다고 해서 이름이 지어진 식물은 무엇인가요? (   )

① 자작나무 ② 생강나무
③ 국수나무 ④ 애기똥풀

7 이 글에서 가장 중요한 낱말은 무엇인가요? 빈칸에 알맞은 낱말을 쓰세요.

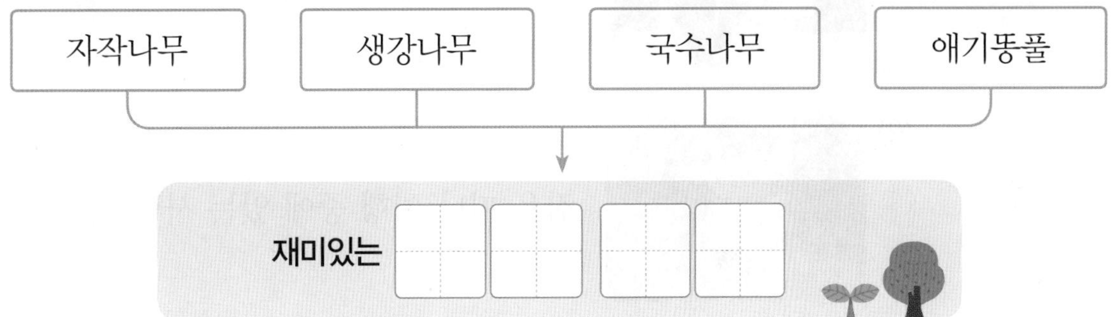

핵심 문장 따라 쓰기

(1) 불에 탈 때 자작자작 하는 소리가 나서 자작나무예요.

(2) 줄기를 꺾으면 생강 냄새가 나서 생강나무예요.

(3) 줄기가 하얀 국수 가락과 비슷해서 국수나무예요.

(4) 줄기에서 나오는 노란 물이 아기의 똥과 같다고 해서 애기똥풀이에요.

주제를 찾아요

지문 분석 강의

어휘 쏙쏙

1 다음 그림과 뜻을 보고, 알맞은 낱말을 •보기•에서 찾아 쓰세요.

•보기•
산딸기 한겨울 나그네

(1) 추위가 한창인 겨울. □□□

(2) 집을 떠나 여행 중에 있는 사람. □□□

(3) 붉은 빛깔의 작고 동그란 열매. □□□

2 다음 그림을 보고, [ ]에서 알맞은 흉내 내는 말을 찾아 ○표 하세요.

(1) 얼음이 [꽁꽁 / 보들보들] 얼었어요.

(2) 소희가 [살랑살랑 / 콜록콜록] 기침을 했어요.

(3) 아린이는 글을 [펄럭펄럭 / 또박또박] 읽었어요.

짧은 글 독해

세계 명작 동화

등불을 든 맹인

한 나그네가 길을 가는데 누군가 등불을 들고 걸어왔어요. 불빛은 점점 가까이 다가왔지요. 놀랍게도 등불을 든 사람은 맹인이었어요.

"당신은 눈도 보이지 않는데, 왜 등불을 들고 다니는 거지요?"

"등불이 있어야 사람들이 맹인인 나와 부딪치지 않고 길을 갈 수 있지요. 이 등불은 나를 위한 것이 아니라 다른 사람을 위한 것입니다."

어휘 뜻

나그네 집을 떠나 여행 중에 있는 사람.

등불 어두운 데를 밝히려고 등에 켠 불.

맹인 눈에 이상이 있어 앞을 보지 못하거나 보기 어려운 사람. 시각 장애인.

등불 ▶ 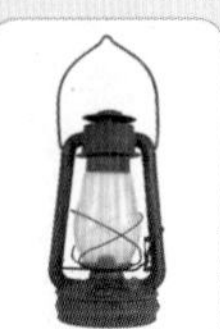

3주 3일

3 맹인이 등불을 든 까닭은 무엇인가요? 알맞은 내용을 찾아 ○표 하세요.

(1) 

무서운 동물을 보게 될까 봐 무서워서

( )

(2) 

등불이 있어야 사람들이 자신과 부딪치지 않아서

( )

4 맹인이 한 다음 말을 볼 때, 글쓴이가 전하는 생각은 무엇일까요? ( )

이 등불은 나를 위한 것이 아니라 다른 사람을 위한 것입니다.

① 밤에는 집 안에만 있어야 합니다.

② 다른 사람을 생각하며 살아야 합니다.

③ 산불이 나지 않게 항상 조심해야 합니다.

글 독해

전래 동화

심술쟁이 원님

얼음이 꽁꽁 언 날, 심술쟁이 원님은 이방에게 지금 당장 산딸기를 구해 오지 않으면 벌을 주겠다고 했어요. 이방은 산속까지 열심히 뒤졌지만 산딸기는 보이지 않았어요. 콜록콜록. 이방은 그만 병이 났어요. 이 일을 알게 된 이방의 똑똑한 아들이 원님 앞에 가서 말했어요.

"안녕하세요? 아버지께서 몹시 편찮으셔서 제가 왔습니다. 아버지께서는 산딸기를 구하러 산에 가셨다가 뱀에게 물리셨습니다."

"네, 이놈! 거짓말을 하는구나! 겨울에 뱀이 어디 있단 말이냐?"

원님이 화를 내자, 이방의 아들은 또박또박 말했습니다.

"원님, 한겨울에 뱀이 없듯이 산딸기도 찾을 수 없습니다."

원님은 자신의 잘못을 깨닫고 얼굴이 빨개졌어요.

어휘 뜻

원님 옛날에 마을을 맡아 다스린 사람.
이방 옛날에 원님을 도와 일을 하던 사람.
편찮으셔서 아프셔서.

산딸기 ▶

5 이 이야기는 언제 일어난 일인가요? (   )

① 봄 ② 가을 ③ 한여름 ④ 한겨울

6 이 이야기에서 심술쟁이 원님이 이방에게 구해 오라고 한 것은 무엇인가요? 빈칸에 알맞은 말을 쓰세요.

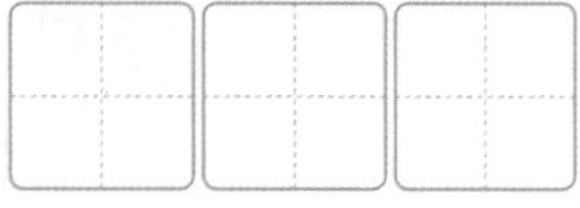

7 이방의 아들이 한 일은 무엇인가요? (   )

① 산에 갔다가 뱀에 물린 아버지를 보았습니다.
② 아버지를 대신해서 산딸기를 따서 원님께 드렸습니다.
③ 원님을 찾아가서 아버지께서 뱀에게 물리셨다고 말했습니다.

8 글쓴이가 전하는 생각을 글의 주제라고 합니다. 이 글의 주제가 무엇인지 바르게 쓴 것을 찾아 색칠하세요.

핵심 문장 따라 쓰기

(1) 얼음이 언 날, 원님이 이 방 에게 산 딸 기 를 구해 오라고 했는데 산딸기는 보이지 않았어요.

(2) 이방의 아 들 이 원님 앞에 가서 아버지가 뱀 에게 물렸다고 말하자, 원님이 화를 냈어요.

(3) 이방 아들의 지혜로운 말을 듣고 원 님 은 자신의 잘 못 을 깨달아 얼굴이 빨개졌어요.

교훈을 찾아요

어휘 쏙쏙

1 다음 그림이 뜻하는 낱말을 •보기•에서 하나씩 더 찾아 쓰세요.

•보기•

식구 말씀 가르침 강아지

2 다음 낱말과 뜻이 반대인 낱말을 찾아 선으로 이으세요.

짧은 글 독해

세계 명작 동화

욕심쟁이 검둥개

이솝

파란 하늘에 양떼구름이 떠 있는 맑은 날이었어요. 검둥개가 뼈다귀를 하나 얻어 시냇가를 지나다가 시냇물을 보았어요. 그런데 물속에 자기와 꼭 닮은 검둥개가 뼈다귀를 물고 있는 거예요! 물속 검둥개의 뼈다귀가 더 크고 맛있어 보였지요. 검둥개는 욕심이 생겼어요.

"저 뼈다귀를 빼앗아 먹어야겠다. 왕!"

그 순간 검둥개의 뼈다귀가 시냇물에 빠져 둥둥 떠내려갔어요.

어휘 뜻

시냇가 골짜기나 들에 흐르는 작은 물줄기의 옆.

닮은 무엇과 비슷한 모양을 지닌.

3 검둥개의 뼈다귀가 시냇물에 빠져 둥둥 떠내려갈 때, 검둥개는 어떤 마음이 들었을까요? (　　　)

① 기쁜 마음
② 고마운 마음
③ 후회하는 마음
④ 자랑하고 싶은 마음

4 이 글이 우리에게 주는 가르침은 무엇인가요? 바르게 쓴 것을 찾아 색칠하세요.

(1) 욕심을 부리지 맙시다.

(2) 친구와 사이좋게 지냅시다.

(3) 고양이를 잘 보살펴 줍시다.

글 **독해**

창작 동화

행복한 집

초록 지붕 집은 식구가 일곱 명인데 조용하고 행복하게 지냈고, 노랑 지붕 집은 식구가 세 명밖에 안 되는데 시끄럽고 말썽이 많았습니다.

하루는 노랑 지붕 집의 가장이 초록 지붕 집에 찾아갔습니다.

"댁은 사람이 많은데도 늘 조용하고 행복하신데 그 비결이 무엇인가요?"

"우리 집은 못난 사람만 모여 살아서 조용해요. 누가 컵을 깨뜨렸을 때 깨뜨린 사람이 자기 잘못이라고 해요. 그러면 다른 사람이 '아니야, 내가 컵을 그곳에 두지 말았어야 했는데…….' 합니다."

"아, 우리는 그 반대였네요. 자기 잘못이 없다고 상대방만 탓했거든요."

노랑 지붕 집의 가장은 참 좋은 교훈을 얻었습니다.

어휘 뜻

가장 한 가족을 대표하고 이끄는 사람.
댁 '집'이나 '가정'의 높임말.
비결 세상에 알려지지 않은, 자기만 아는 방법.

5 초록 지붕 집에 대한 설명이면 (초록 지붕 집)에 ○표 하고, 노랑 지붕 집에 대한 설명이면 (노랑 지붕 집)에 ○표 하세요.

(1) 식구가 세 명입니다.

(2) 식구가 일곱 명입니다.

(3) 시끄럽고 말썽이 많습니다.

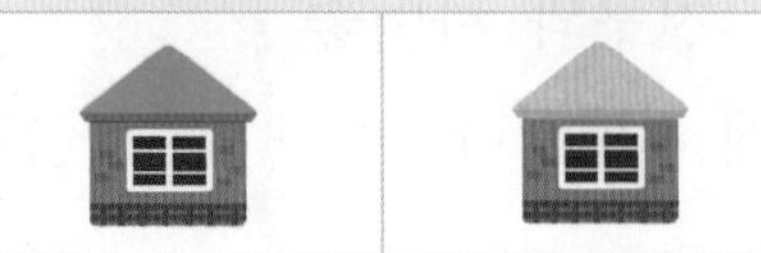

(4) 조용하고 행복하게 지냅니다.

6 초록 지붕 집이 조용하고 행복한 비결은 무엇인가요? (   )

① 상대방만 탓하기 때문에
② 실수를 하지 않기 때문에
③ 서로 자기 잘못이라고 말하기 때문에

7 노랑 지붕 집의 가장이 얻은 '참 좋은 교훈'은 무엇일까요? 알맞은 내용을 찾아 선으로 이으세요.

핵심 문장 따라 쓰기

(1) 초록 지붕 집은 조용하고 행복하게 지냈고, 노랑 지붕 집은 시끄럽고 말썽이 많았어요.

(2) 초록 지붕 집이 조용하고 행복한 비결은 서로 자기 잘못이라고 말하기 때문이에요.

(3) 노랑 지붕 집의 가장은 참 좋은 교훈을 얻었어요.

글을 쓴 목적을 찾아요

어휘 쑥쑥

1 다음 ( ) 안에 들어갈 알맞은 말을 찾아 ○표 하세요.

(1)

가르다: 무엇을 베거나 쪼개다.
가리다: 무엇에 막혀서 안 보이게 막다.

㉮ 짙은 안개가 높은 산을 (가르다 , 가리다).

㉯ 놀부가 집에서 톱질을 하며 박을 (가르다 , 가리다).

(2)

주위: 어떤 곳의 둘레나 가까운 주변.
주의: 정신을 차리고 조심하여 미리 준비하는 것.

㉮ 번갯불 (주위 , 주의)가 환해졌어요.

㉯ 산에서 돌이 떨어질 수 있으니 (주위 , 주의) 하세요.

(3)

잊다: 과거에 알거나 들었던 것을 기억하지 못하다.
잃다: 가지고 있던 물건을 흘리거나 놓쳐서 더 이상 가지지 못하게 되다.

㉮ 어제 지우 생일인 것을 (잊었다 , 잃었다).

㉯ 기차역에서 장갑 한 짝을 (잊었다 , 잃었다).

(4)

건네다: 남에게 무엇을 넘겨주다.
건너다: 강, 바다 같은 데를 넘어 맞은편에 가다.

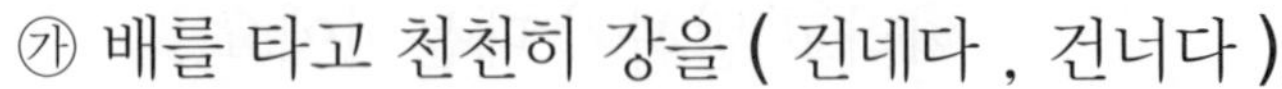

㉮ 배를 타고 천천히 강을 (건네다 , 건너다).

㉯ 오늘 새로 산 가방을 지영이에게 (건네다 , 건너다).

짧은 글 독해

주장하는 글

학급 신문에 낸 글

어린이 여러분! 비 오는 날에 길을 건널 때에는 조심합시다. 비가 오면 자동차의 운전자가 앞이 잘 보이지 않기 때문입니다.

비가 오는 날에는 노란색이나 흰색처럼 밝은색 옷을 입는 것이 좋습니다. 그리고 우산은 앞을 가리지 않게 든 다음, 자동차가 오는지 주위를 살피며 길을 건넙시다.

어휘 뜻

주위 어떤 곳의 둘레나 가까운 주변.

3주 5일

2 글쓴이가 이 글을 쓴 까닭은 무엇인가요? ( ) 안에 들어갈 알맞은 말을 찾아 ○표 하세요.

- 글쓴이는 (1) (어른들 , 어린이들)에게 (2) (비 오는 날 , 눈 오는 날) 길을 건널 때 조심하자고 말하려고 이 글을 썼습니다.

3 다음 중 비가 오는 날에 가장 바르게 행동한 친구는 누구인지 찾아 ○표 하세요.

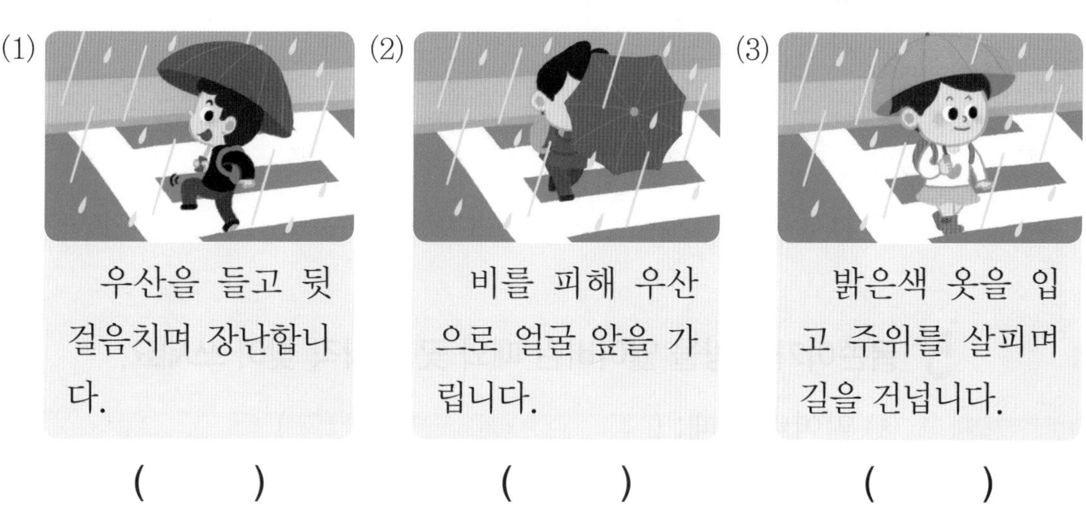

(1) 우산을 들고 뒷걸음치며 장난합니다. ( )

(2) 비를 피해 우산으로 얼굴 앞을 가립니다. ( )

(3) 밝은색 옷을 입고 주위를 살피며 길을 건넙니다. ( )

글 독해

안내문

가방을 찾습니다

- **잃어버린 때**: 20○○년 8월 10일
- **잃어버린 곳**: 아파트 놀이터
- **가방의 특징**:

① 크기가 작고, 분홍색입니다.

② 지퍼가 없어서 물건을 바로 넣고 뺄 수 있습니다.

③ 긴 끈이 한 개 달려 있고, 물방울무늬가 있습니다.

④ 가방 끈에는 귀여운 곰 인형이 한 개 달려 있습니다.

- **하고 싶은 말**: 외할머니가 만들어 주신 소중한 가방입니다.

이 가방을 보신 분은 010-△△△△-☆☆☆☆로 전화 주세요.

어휘 뜻

소중한 매우 귀하고 중요한.

분 어떤 사람을 높여 이르는 말.

4 글쓴이가 이 글을 쓴 목적은 무엇인가요? (　　　)

① 새로 산 인형을 소개하려고

② 잃어버린 자신의 가방을 찾으려고

③ 가방 만드는 방법을 자세히 알려 주려고

5 글쓴이가 가방을 잃어버린 때와 곳을 각각 찾아 쓰세요.

(1) 잃어버린 때: (　　　　　　　　　　)

(2) 잃어버린 곳: (　　　　　　　　　　)

6 글쓴이가 찾는 가방에 대한 설명으로 알맞은 것을 찾아 밑줄을 그으세요.

㉮ 크기가 매우 큽니다.

㉯ 지퍼가 달려 있습니다.

㉰ 짧은 끈이 두 개 달려 있습니다.

㉱ 외할머니가 만들어 주신 것입니다.

7 다음 중 글쓴이가 찾는 가방은 무엇일까요? (　　　)

① 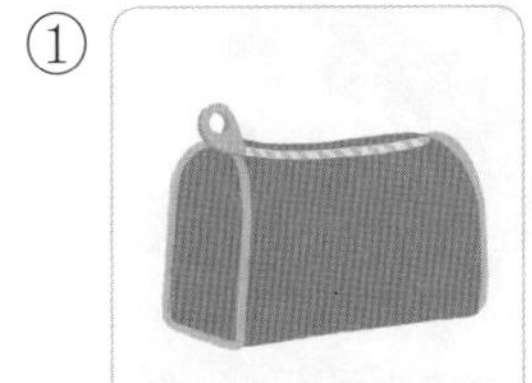
②  
③ 
④ 

핵심 문장 따라 쓰기

(1) 글쓴이는 아파트 놀이터에서 잃어버린 가방을 찾고 있어요.

(2) 가방은 크기가 작고, 분홍색으로 지퍼가 없고, 긴 끈 한 개와 곰인형 한 개가 달려 있어요.

(3) 가방을 보신 분은 010−△△△△−☆☆☆☆로 전화 달라고 했어요.

봄
여름
가을
겨울

4주

글의 짜임을 정리해요

1일 가장 중요한 문장을 찾아요

2일 처음 – 가운데 – 끝을 찾아요

3일 일의 순서를 정리해요

4일 원인과 결과를 알아요

5일 글의 내용을 정리해요

1일 가장 중요한 문장을 찾아요

어휘 쑥쑥

1 다음 그림을 보고, [ ]에서 바르게 쓴 말을 찾아 ○표 하세요.

(1) 

아저씨가 택배를 [날읍니다 / 나릅니다].

(2) 

루민이가 넘어져 달릴 수 [업어요 / 없어요].

(3) 

지구 위 모든 나라를 [세개 / 세계]라 불러요.

(4) 

친구와 찰흙으로 음식을 [만드러요 / 만들어요].

2 다음 에 쓰인 낱말에 포함되는 낱말을 •보기•에서 찾아 쓰세요.

•보기•
독일 소방차 비빔밥 피자 구급차 이탈리아

(1) 음식 — 햄버거 / ( ) / ( )

(2) 자동차 — ( ) / 트럭 / ( )

(3) 나라 — ( ) / ( ) / 대한민국

짧은 글 독해

백과사전 글

여러 가지 자동차

오늘날 자동차는 여러 가지 일을 합니다. 먼저, 견인차는 고장 난 차나 사고가 나서 달릴 수 없는 차를 끌고 갑니다. 구급차는 응급 환자를 병원으로 나르고, 유조차는 석유를 실어 나릅니다. 또 트럭은 커다란 짐칸이 있어 짐을 많이 실어 멀리 나릅니다. 끝으로 경주용 자동차는 경주 대회에서 선수들이 빨리 달릴 수 있게 합니다.

▲ 견인차 ▲ 구급차 ▲ 유조차 ▲ 트럭 ▲ 경주용 자동차

4주 1일

어휘 뜻

응급 급한 일을 우선하는 것.
석유 불에 잘 타는 성질이 있는 끈적끈적하고 검은 액체.
경주 사람이나 동물 또는 차가 빨리 달리기를 겨루는 것.

3 다음 자동차가 나르는 것은 무엇인가요? 알맞은 것을 찾아 선으로 이으세요.

(1) 견인차 • • ㉮ 석유

(2) 구급차 • • ㉯ 응급 환자

(3) 유조차 • • ㉰ 고장 난 차, 달릴 수 없는 차

4 이 글에서 가장 중요한 문장은 무엇인지 찾아 ○표 하세요.

(1) 오늘날 자동차는 여러 가지 일을 합니다.
( )

(2) 트럭은 짐을 많이 실어 멀리 나릅니다.
( )

글 독해

설명하는 글

다양한 음식

여러분은 어떤 음식을 좋아하나요? 세계에는 다양한 음식이 있어요. 세계의 음식은 만드는 방법이 다르고, 맛이나 모양도 달라요.

비빔밥 비빔밥은 여러 가지 나물과 고기, 양념을 넣어 비벼서 먹는 밥이에요. 비빔밥은 우리나라의 전통 음식이랍니다.

햄버거 햄버거는 둥근 빵 사이에 다져서 구운 쇠고기와 채소, 양념 등을 끼운 음식이에요. 햄버거 이름은 독일의 도시인 함부르크에서 시작되었다고 해요.

피자 피자는 둥근 밀가루 반죽 위에 토마토, 고기, 치즈 등을 얹어 구운 빵이에요. 피자는 이탈리아에서 처음 만들었어요.

어휘 뜻

세계 지구 위의 모든 나라.
양념 음식의 맛을 내기 위해 쓰는 간장·마늘·파·고추·설탕 등.
전통 예전부터 이어 내려오는 행동·생각 등.
반죽 가루에 물을 섞어 개는 것. 또는 그렇게 만든 것.

5 **이 글에서 설명하는 것은 무엇인가요? (   )**

① 세계의 옷
② 세계의 춤
③ 세계의 집
④ 세계의 음식

6 **둥근 빵 사이에 다져서 구운 쇠고기와 채소, 양념 등을 끼운 음식은 무엇인가요? 글에서 찾아 빈칸에 쓰세요.**

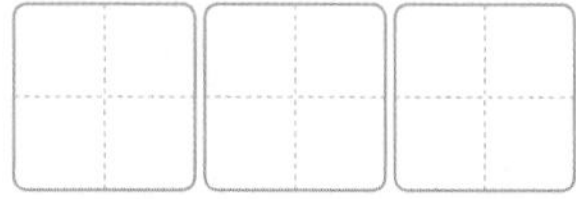

7 다음 음식과 관련 있는 나라를 찾아 선으로 이으세요.

(1) 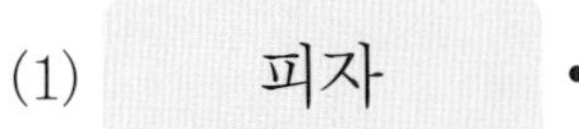

• ㉮ 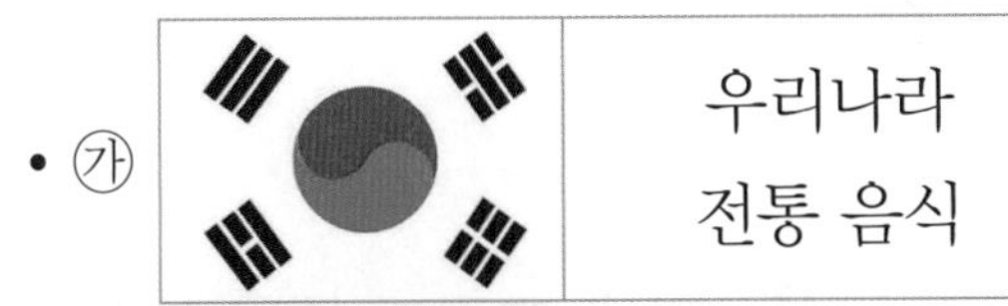

(2) 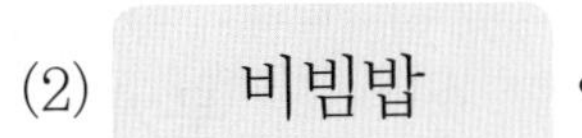

• ㉯ 

(3) 햄버거 •

• ㉰ 이탈리아에서 처음 만든 음식

8 이 글에서 가장 중요한 문장을 찾아 ○표 하세요.

(1) 세계의 음식은 만드는 방법이 다르고, 맛이나 모양도 달라요. ( )

(2) 비빔밥은 여러 가지 나물과 고기, 양념을 넣어 비벼서 먹는 밥이에요. ( )

(3) 피자는 둥근 밀가루 반죽 위에 토마토, 고기, 치즈 등을 얹어 구운 빵이에요. ( )

핵심 문장 따라 쓰기

(1) 세계의 음식은 만드는 방법, 맛, 모양이 달라요.

(2) 비빔밥은 나물, 고기, 양념을 넣어 비벼서 먹는 밥이고, 햄버거는 빵 사이에 쇠고기와 채소, 양념 등을 끼운 음식이고, 피자는 둥근 밀가루 반죽 위에 토마토, 고기, 치즈 등을 얹어 구운 빵이에요.

처음-가운데-끝을 찾아요

지문 분석 강의

어휘 쏙쏙

1 다음 그림과 뜻을 보고, 알맞은 낱말을 •보기•에서 찾아 쓰세요.

•보기•

식품　　　농장　　　물기

(1) 생활하기 위해 사람이 먹는 것. [ ][ ]

(2) 물이 묻거나 스며 있는 축축한 기운. [ ][ ]

(3) 땅과 여러 가지 시설을 갖춘, 농사짓는 곳. [ ][ ]

2 다음 그림을 보고, 움직임을 나타내는 말을 알맞게 채워 완성하세요.

(1) 감을 [따][ ].

(2) 간식을 [ㅁ][ ].

(3) 달력을 [ㅂ][ ].

(4) 배를 [만][ ][ ].

부탁하는 글

딸기 농장에 가요

선생님, 안녕하세요? 저는 김규민입니다.

저는 어린이날에 딸기 농장에 가고 싶습니다. 왜냐하면 딸기가 어떤 곳에서 자라는지 보고, 딸기를 손으로 따 보고 싶기 때문입니다. 또, 새콤달콤 맛있는 딸기를 먹고, 딸기 잼도 만들어 보고 싶습니다.

딸기 따기 체험을 할 때 주의할 점도 잘 지켜서 모두가 즐거운 시간이 되면 좋겠습니다. 안녕히 계세요. – 김규민 올림

어휘 뜻

농장 땅과 여러 가지 시설을 갖추고 있어 농사를 짓는 곳.

체험 직접 겪은 일.

3 글쓴이가 어린이날에 가고 싶은 곳은 어디인지 찾아 ○표 하세요.

(1) 숲속 (　　　)

(2) 과일 가게 (　　　)

(3) 딸기 농장 (　　　)

4 (1)~(3)은 이 글의 '처음', '가운데', '끝' 중에서 무엇에 해당하는지 쓰세요.

(1)	선생님, 안녕하세요? 저는 김규민입니다.
(2)	딸기 따기 체험을 할 때 주의할 점도 잘 지켜서 모두가 즐거운 시간이 되면 좋겠습니다. 안녕히 계세요. – 김규민 올림
(3)	저는 어린이날에 딸기 농장에 가고 싶습니다. 왜냐하면 딸기가 어떤 곳에서 자라는지 보고, 딸기를 손으로 따 보고 싶기 때문입니다. 또, 새콤달콤 맛있는 딸기를 먹고, 딸기 잼도 만들어 보고 싶습니다.

글 독해

설명하는 글

유통 기한이 뭔가요?

부모님이 우유를 고를 때 꼭 보시는 것은 무엇일까요? 유통 기한이에요. 유통 기한을 보면 식품을 언제까지 사고팔고, 먹을 수 있는지 알 수 있어요.

과자나 음료수 같은 수많은 식품에 유통 기한이 있어요. 식품의 겉 포장에 보통 '유통 기한: 20○○년 8월 15일'과 같이 쓰여 있지요.

유통 기한은 식품에 따라 달라요. 우유, 두부처럼 물기가 많은 식품이나 고기는 유통 기한이 짧아요. 하지만 바싹 말랐거나 아주 달거나 짠 음식, 통조림 음식은 유통 기한이 길지요.

유통 기한이 지나면 식품이 상할 수 있어요. 따라서 식품을 살 때는 유통 기한을 꼼꼼히 살펴보고, 유통 기한이 지난 식품은 먹지 말아야 해요.

유통기한
2019.07.30제조
2020.01.29까지

어휘 뜻

유통 기한 먹을거리나 약 같은 물건을 사고팔 수 있는 기간.
식품 생활하기 위해 사람이 먹는 것.
물기 물이 묻거나 스며 있는 축축한 기운.

5 **식품을 언제까지 사고팔고, 먹을 수 있는지 나타낸 것은 무엇인가요? (　　　)**

① 가격　② 식품 이름
③ 유통 기한　④ 만든 사람 이름

6 **다음 중 유통 기한이 긴 식품은 무엇인가요? (　　　)**

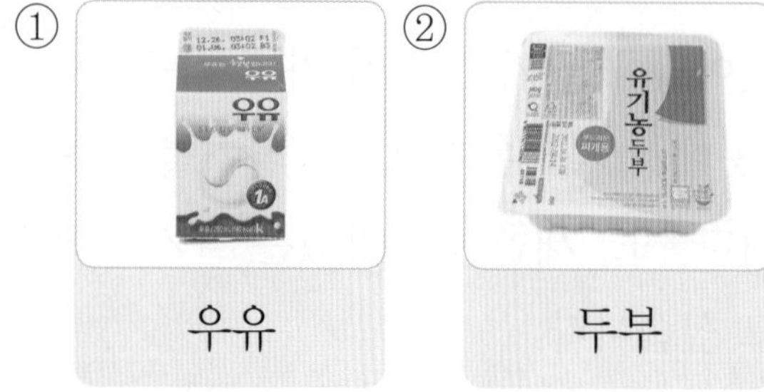

① 우유　② 두부　③ 고기　④ 통조림 음식

7 유통 기한에 대한 설명으로 알맞은 것을 모두 찾아 ○표 하세요.

(1)
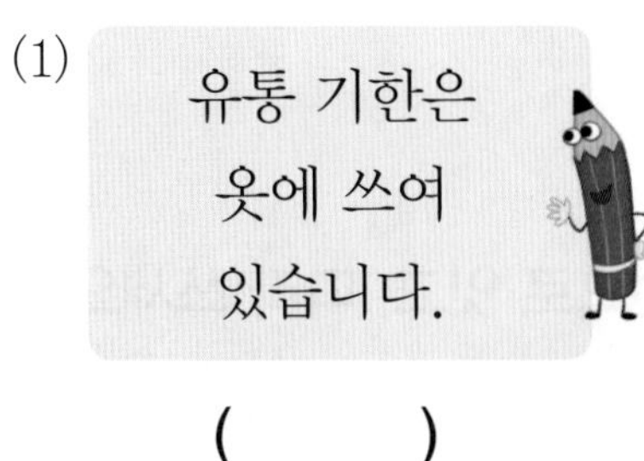

( )

(2)
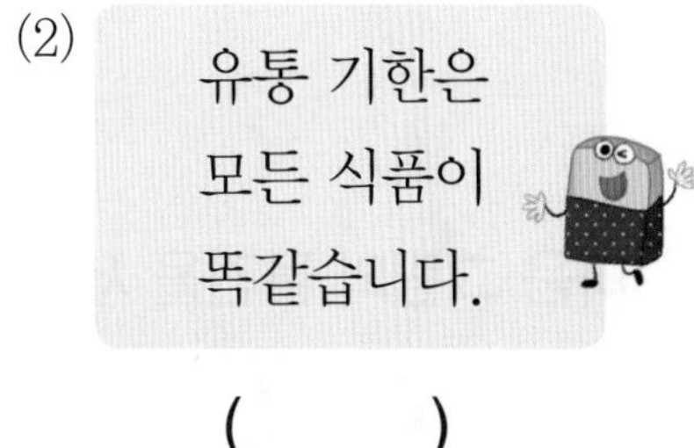

( )

(3)
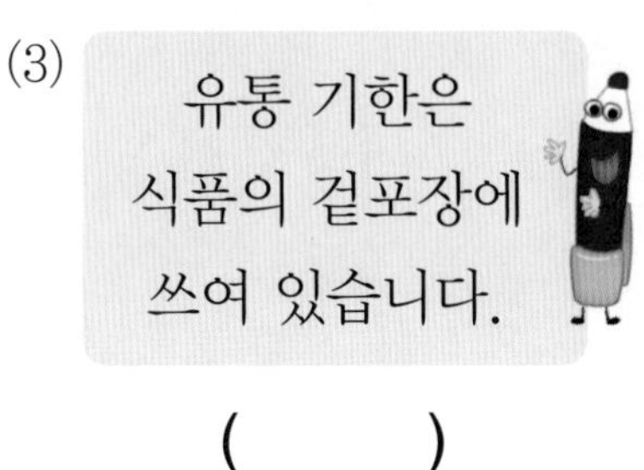

( )

(4)
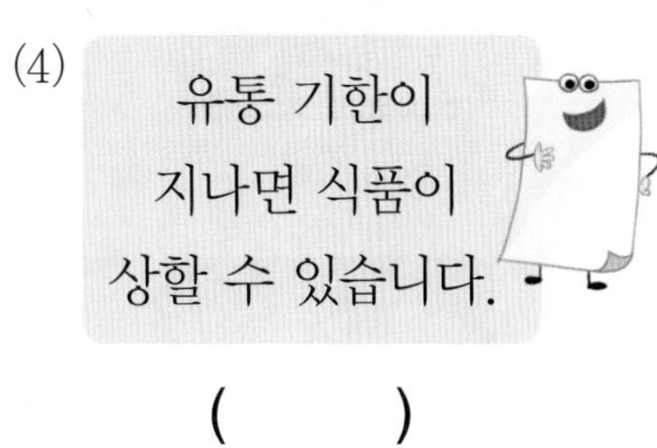

( )

8 글쓴이가 글의 '끝부분'에 쓴 내용은 무엇인가요? ( )

① 유통 기한을 쓰는 방법
② 유통 기한을 보고 주의할 점
③ 유통 기한을 만든 사람의 이름

핵심 문장 따라 쓰기

(1) 유통 기한을 보면 식품을 언제까지 사고팔고, 먹을 수 있는지 알 수 있어요.

(2) 유통 기한은 식품의 겉포장에 연도, 월, 일의 순서로 쓰고, 식품에 따라 유통 기한이 달라요.

(3) 식품을 살 때는 유통 기한을 꼼꼼히 살펴보아야 해요.

일의 순서를 정리해요

지문 분석 강의

1 다음 그림의 물건을 세는 말을 찾아 선으로 잇고, 따라 쓰세요.

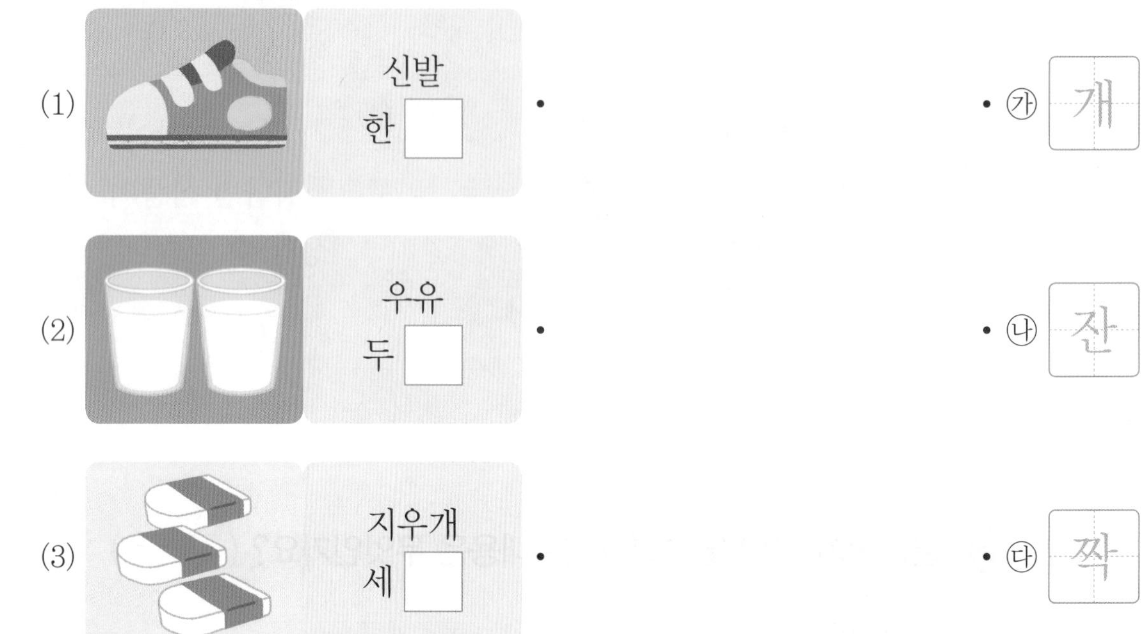

2 어려운 받침이 들어간 낱말의 뜻을 생각하며 따라 쓰세요.

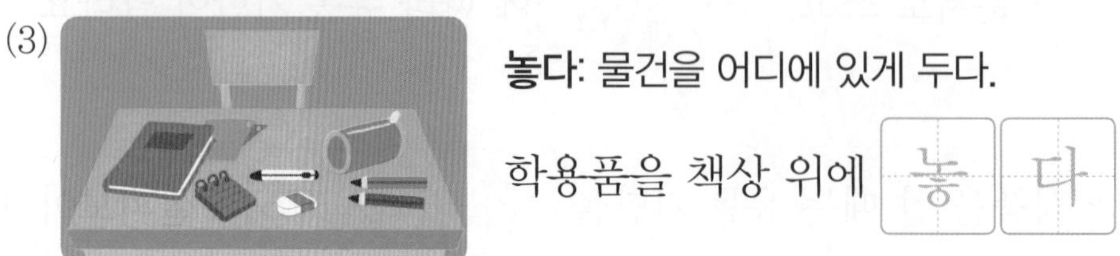

짧은 글 독해

설명하는 글

토끼 인형 만들기

* **준비물**: 장갑 두 짝, 단추 세 개, 접착제
* **만드는 순서**

1 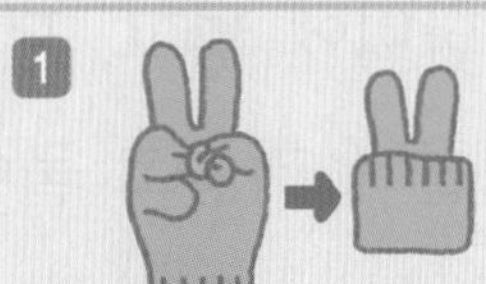	왼쪽 장갑의 둘째 손가락과 다섯째 손가락을 묶고, 손목 부분을 접어요.
2 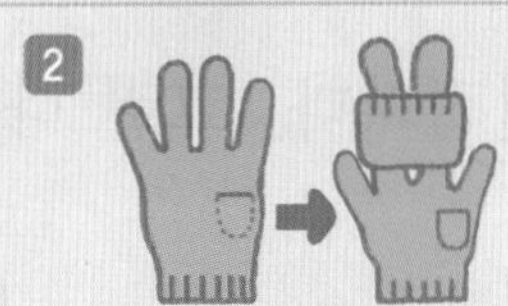	오른쪽 장갑의 첫째 손가락을 아래로 접고, 셋째 손가락과 넷째 손가락에 1을 끼워요.
3 	2에 접착제를 사용해 단추로 눈과 코를 예쁘게 붙이면 토끼 인형 완성~!

어휘 뜻

접착제 두 물체를 서로 붙이는 데 쓰는 물질.

순서 정해져 있는 차례.

4주 3일

3 토끼 인형을 만들 때 필요한 준비물을 두 가지 고르세요. (　　,　　)

① 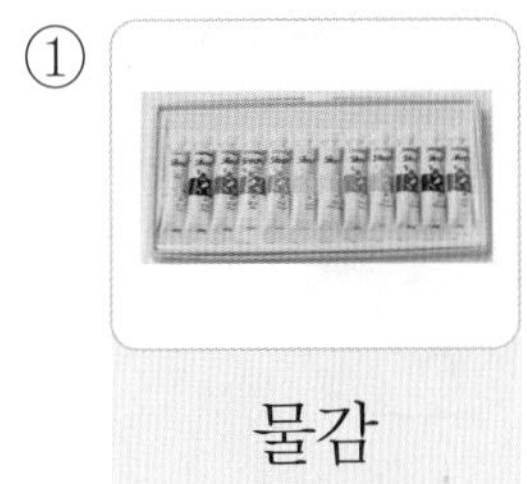
물감

② 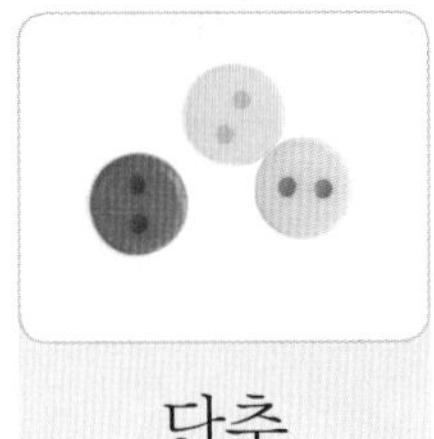
단추

③ 
장갑

④ 
가위

4 토끼 인형을 만들 때, 가장 나중에 할 일을 찾아 기호를 쓰세요.

㉮ 단추로 눈과 코를 예쁘게 붙입니다.
㉯ 오른쪽 장갑의 첫째 손가락을 아래로 접습니다.
㉰ 왼쪽 장갑의 둘째 손가락과 다섯째 손가락을 묶습니다.

글 **독해**

생활 글

달걀 삶기

현서가 오늘 엄마 옆에서 지켜본 달걀 삶는 과정은 다음과 같습니다.

첫 번째, 달걀을 삶는 데 필요한 준비물인 달걀, 냄비, 긴 젓가락, 체를 잘 챙깁니다. 두 번째, 달걀을 씻어 냄비에 넣고, 달걀이 잠길 정도의 물을 붓습니다. 세 번째, 불에 냄비를 올려놓고 물이 끓을 때까지 긴 젓가락으로 달걀을 가끔씩 굴려 줍니다. 네 번째, 물이 끓기 시작하면 12분 뒤에 불을 끄고, 달걀을 건집니다. 그런 다음 찬물에 담가 두면 달걀 삶기 끝!

현서는 물 한 잔을 갖다 놓고, 달걀을 소금에 살짝 찍어 먹어 보았습니다. 오늘따라 달걀이 더 촉촉하고 맛있다고 생각했답니다.

어휘 뜻

과정 어떤 일이 벌어지거나 변하여 가는 차례.
체 촘촘한 그물이 바닥에 달린 둥근 모양의 부엌 기구.
잠길 물속에 들어가 가라앉을.

5 **달걀을 삶는 데 필요한 준비물이 아닌 것은 무엇인가요? (　　　)**

① 달걀　② 얼음　③ 냄비　④ 긴 젓가락

6 **달걀을 맛본 현서의 생각은 무엇인가요? (　　　)**

① 달걀 삶기가 참 어려워.
② 달걀을 삶을 때 물의 양이 궁금해.
③ 오늘따라 달걀이 더 촉촉하고 맛있어.

7 달걀을 삶는 순서에 맞게 번호를 쓰세요.

(1) 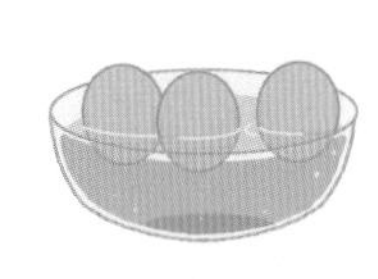 건진 달걀을 찬물에 담가 둡니다. (   )

(2)  달걀을 씻어 냄비에 넣고, 물을 붓습니다. (   )

(3)  달걀을 삶는 데 필요한 준비물을 잘 챙깁니다. (   )

(4)  불에 냄비를 올려놓고 긴 젓가락으로 달걀을 굴립니다. (   )

(5)  물이 끓기 시작하면 12분 뒤에 불을 끄고, 달걀을 건집니다. (   )

핵심 문장 따라 쓰기

(1) 달걀, 냄비, 긴 젓가락, 체를 준비해요.

(2) 달걀을 씻어 냄비에 넣고 물을 부은 다음, 불에 올려놓고 달걀을 긴 젓가락으로 굴려 주어요. 물이 끓기 시작하면 12분 뒤에 달걀을 건져 찬물에 담가 두어요.

4일 원인과 결과를 알아요

1 다음 •보기•에서 알맞은 흉내 내는 말을 찾아 빈칸에 쓰세요.

•보기•
바들바들　　살랑살랑　　벌컥벌컥　　우당퉁탕

(1) 바람이 가볍게 부는 모양.

가을바람이 □□□□ 불어 왔어요.

(2) 춥거나 무서워서 자꾸 몸을 떠는 모양.

구멍 속의 작은 새는 몸을 웅크리며 □□□□ 떨었어요.

(3) 물이나 음료 등을 아주 많이 세게 들이켜는 모양.

찬 물을 □□□□ 마시고 나니 더위가 없어졌어요.

(4) 요란스럽게 바닥에 떨어지거나 무엇에 부딪치는 소리.

책상 위의 책이 □□□□ 바닥으로 떨어지고 있어요.

짧은 글 독해

생활 글

쉬는 시간에 일어난 일

쉬는 시간에 교실에서 일어난 일입니다. 목이 마른 민희는 우유를 벌컥벌컥 마시고 있었습니다.

그런데 정우가 우당퉁탕 복도에서 뛰어 들어오다가 민희 앞에서 넘어졌습니다.

"쾅!"

민희는 그 소리에 깜짝 놀라 우유를 다 쏟아 버렸습니다.

어휘 뜻

마른 입이나 목구멍에 침이 없어지거나 적어져서 물이 먹고 싶은.
복도 큰 건물 안의 한 층에 있는, 여러 방으로 사람들이 다닐 수 있게 만든 길.
쏟아 한꺼번에 많이 흘려.

2 **민희는 언제 어디에서 무엇을 하고 있었나요? (　　　)**

① 수업 시간에 교실에서 책을 읽고 있었습니다.
② 쉬는 시간에 교실에서 우유를 마시고 있었습니다.
③ 쉬는 시간에 운동장에서 정우와 놀고 있었습니다.

3 **이 글에서 원인과 결과를 찾아 빈칸에 알맞은 말을 쓰세요.**

원인: 일이 일어난 까닭		**결과**: 일어난 일
(1) (　　　　)가 민희 앞에서 "쾅!" 하고 넘어졌습니다.	➡	(2) 민희가 깜짝 놀라 (　　　　)를 다 쏟았습니다.

세계 명작 동화

바람과 해의 시합

이솝

바람과 해는 서로 자기가 더 힘이 세다고 말다툼을 하였습니다.

"그럼 누가 더 힘이 센지 시합해 보자."

"좋아! 길을 가는 나그네의 겉옷을 먼저 벗기는 쪽이 이기는 거다."

바람은 나그네를 향해 살랑살랑 바람을 일으켰습니다. 그런데 나그네는 겉옷을 붙잡고 단추까지 잠그고 걸어갔습니다. 바람은 더욱 센 바람을 일으켰지만 나그네는 몸을 바들바들 떨며 겉옷을 더욱 꽉 붙잡았습니다.

그때 해가 웃으며 나그네에게 부드러운 햇빛을 비추었습니다. 나그네는 겉옷의 단추를 하나씩 풀었습니다. 해는 다시 뜨거운 햇빛을 비추었습니다. 그러자 나그네는 겉옷을 벗었습니다.

어휘 뜻

시합 경기나 기술 등에서 서로 실력을 겨루는 것.

4 이 글에서 시합하고 있는 인물은 누구와 누구인가요? (,)

① 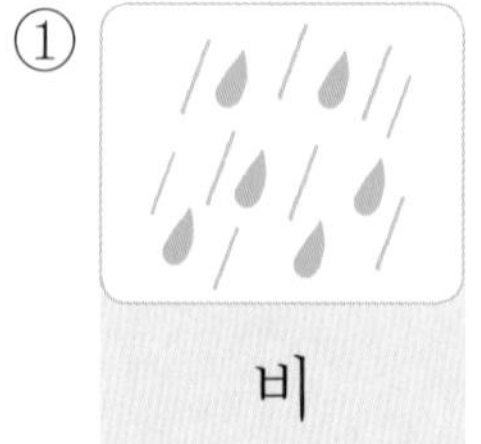
비

② 
해

③ 
파도

④ 
바람

5 이 글에 나온 인물들이 시합을 한 까닭은 무엇인가요? ( )

① 누가 더 힘이 센지 알아보려고

② 누가 더 멀리 가는지 알아보려고

③ 누가 더 노래를 잘 부르는지 알아보려고

6 **바람이 나그네의 겉옷을 벗기기 위해 한 일은 무엇인가요? (　　　)**

① 나그네와 말싸움을 했습니다.
② 나그네에게 새 옷을 사 주었습니다.
③ 나그네에게 센 바람을 일으켰습니다.

7 **다음 중 '결과'를 나타낸 것을 찾아 ○표 하세요.**

(1)

해는 나그네에게 뜨거운 햇빛을 비추었습니다.

(　　)

(2)

나그네는 겉옷을 벗었습니다.

(　　)

핵심 문장 따라 쓰기

(1) 바람과 해가 나그네의 겉옷을 벗기는 시합을 했어요.

(2) 바람이 나그네를 향해 센 바람을 일으켰지만 나그네는 겉옷을 꽉 붙잡았어요.

(3) 해가 나그네에게 뜨거운 햇빛을 비추자 나그네는 겉옷을 벗었어요.

지문 분석 강의

5일 글의 내용을 정리해요

어휘 쏙쏙

1 다음 낱말을 따라 쓰고, 그 뜻을 찾아 선으로 이으세요.

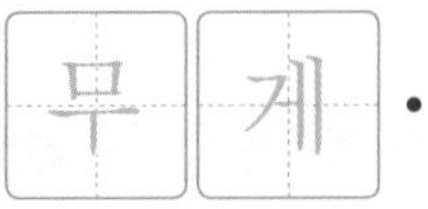

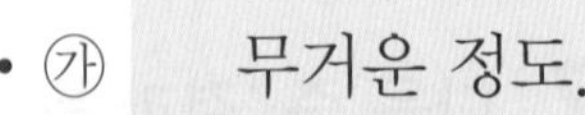

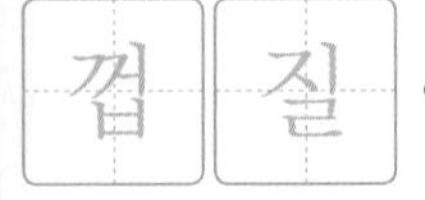

(1) 무게 •　　　　• ㉮ 무거운 정도.

(2) 껍질 •　　　　• ㉯ 해가 비치는 빛.

(3) 통과 •　　　　• ㉰ 물체의 겉을 둘러싸고 있는 것.

(4) 햇빛 •　　　　• ㉱ 일정한 장소나 시간을 지나가는 것.

2 다음 뜻을 가진 낱말은 무엇인가요? 바르게 쓴 것을 찾아 [　] 에 색칠하세요.

(1)

무엇이 만들어지다.

[이끌리다] [이루어지다]

(2)

값이나 무게가 어떤 정도에 이르다.

[누르다] [나가다]

짧은 글 독해

설명하는 글

세계에서 가장 큰 과일

세계에서 가장 큰 과일은 '바라밀'이라는 열대 과일이에요. '잭푸르트'라고도 불러요.

바라밀 중에서도 가장 큰 것은 길이가 90 센티미터, 무게가 30킬로그램까지 나간대요. 웬만한 아이만큼 크기가 크지요.

바라밀은 겉과 안의 색깔이 서로 달라요. 겉은 푸른색이고, 껍질 안은 노란색이에요.

그리고 바라밀은 맛이 달콤해요. 또 상큼한 맛도 나지요.

어휘 뜻

열대 지구에서 적도 가까이에 있는, 기온이 섭씨 20도 이상인 매우 더운 지역.
상큼한 냄새나 맛이 향기롭고 시원한.

3 세계에서 가장 큰 과일인 '바라밀'의 다른 이름은 무엇인가요? (　　　)

① 망고　　② 바나나
③ 파인애플　　④ 잭푸르트

4 다음 표에 이 글의 내용을 알맞게 정리하여 쓰세요.

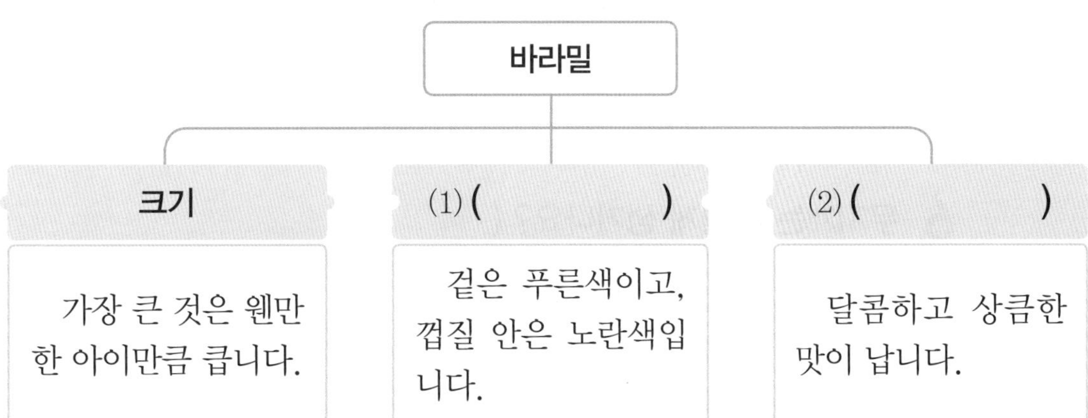

바라밀

크기	(1) (　　　)	(2) (　　　)
가장 큰 것은 웬만한 아이만큼 큽니다.	겉은 푸른색이고, 껍질 안은 노란색입니다.	달콤하고 상큼한 맛이 납니다.

4주 5일

설명하는 글

일곱 색깔 무지개

하늘의 구름 사이로 나타난 아름다운 무지개를 본 적 있나요?

무지개는 하늘에 있는 물방울과 햇빛이 만나 생깁니다. 평소에 우리 눈에는 보이지 않지만 햇빛에는 여러 가지 빛깔이 섞여 있습니다. 그런데 햇빛이 물방울을 통과하면 원래의 빛깔이 나타나면서 무지개가 되는 것입니다.

그럼 무지개는 언제 어디에서 볼 수 있을까요? 무지개는 비가 온 다음, 바로 해가 떴을 때 해의 반대쪽 하늘에서 볼 수 있습니다. 하늘에 물방울이 많이 남아 있기 때문이지요.

무지개는 바깥쪽부터 안쪽으로 빨간색, 주황색, 노란색, 초록색, 파란색, 남색, 보라색의 일곱 색깔로 이루어져 있습니다. 그리고 무지개는 동그라미의 반이 잘린, 띠 모양을 하고 있습니다.

어휘 뜻

평소 일상생활을 하는 보통 때.
빛깔 빛을 받아 물체가 나타내는 빛.
통과 일정한 장소나 시간을 지나가는 것.

5 이 글은 무엇을 설명하였나요? 글에서 찾아 빈칸에 쓰세요.

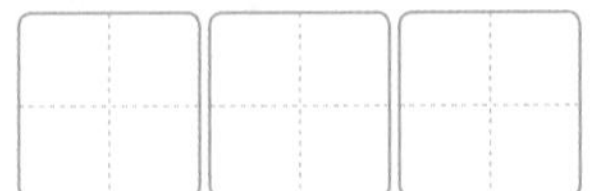

6 무지개는 어떻게 생기나요? (　　　)

① 구름이 모두 사라지면 생깁니다.
② 비가 오랫동안 오지 않아 생깁니다.
③ 하늘에 있는 물방울과 햇빛이 만나 생깁니다.

7 오른쪽 그림에 무지개를 이루는 일곱 색깔을 색칠하세요.

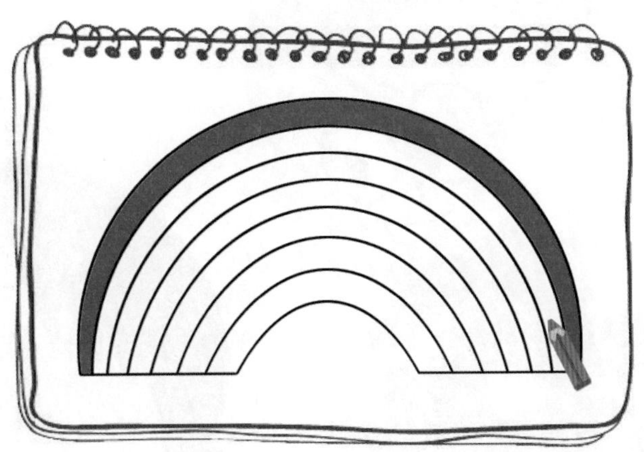

8 다음 표에 이 글의 내용을 알맞게 정리하여 쓰세요.

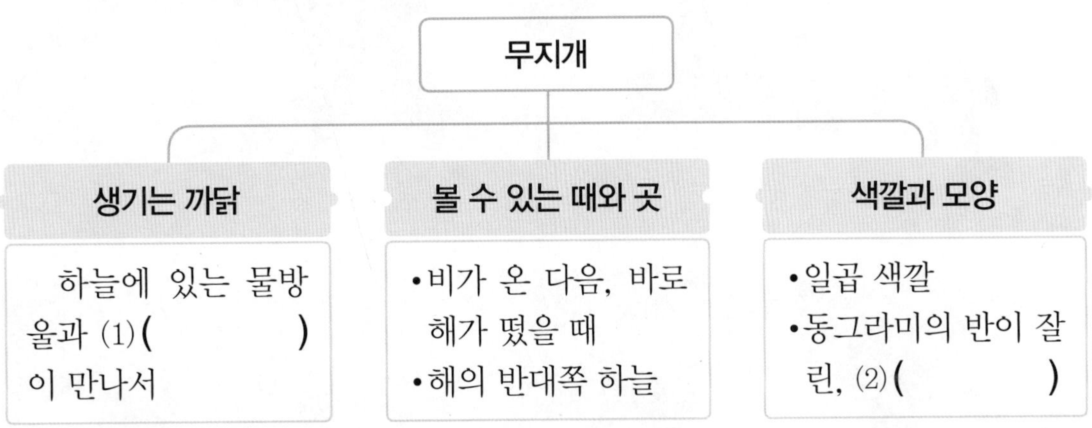

무지개

생기는 까닭	볼 수 있는 때와 곳	색깔과 모양
하늘에 있는 물방울과 (1) (　　　) 이 만나서	• 비가 온 다음, 바로 해가 떴을 때 • 해의 반대쪽 하늘	• 일곱 색깔 • 동그라미의 반이 잘린, (2) (　　　)

핵심 문장 따라 쓰기

(1) 무 지 개 는 하늘에 있는 물방울과 햇빛이 만나 생겨요.

(2) 무지개는 비가 온 다음, 바로 해 가 떴을 때 해의 반 대 쪽 하늘에서 볼 수 있어요.

(3) 무지개는 일 곱 색깔로 이루어져 있고, 동그라미의 반이 잘린, 띠 모양을 하고 있어요.

강아지를 키우는 것에
나는 찬성이야.
여러 인물의 생각을
알아보자.
왈
왈
왈
왈
왈
왈

5주

깊이 있게 읽어요

1일 설명한 것의 같거나 다른 점을 알아요

2일 인물과 비슷한 행동을 한 사람을 찾아요

3일 이야기를 읽고 생각을 나누어요

4일 글쓴이의 생각과 내 생각을 비교해요

5일 글의 내용을 새로운 상황에 적용해요

설명한 것의 같거나 다른 점을 알아요

1 다음 낱말을 따라 쓰고, 그 뜻을 찾아 선으로 이으세요.

(1) 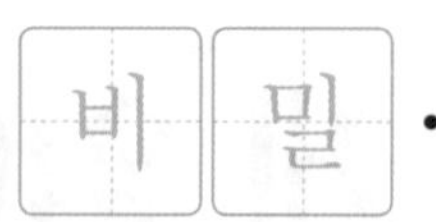

• • ㉮ 동물이 풀을 먹는 것.

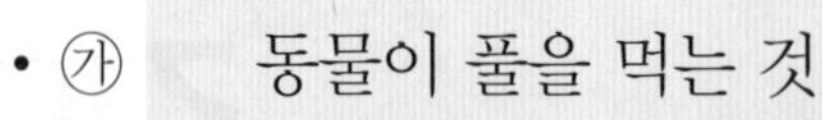

(2)  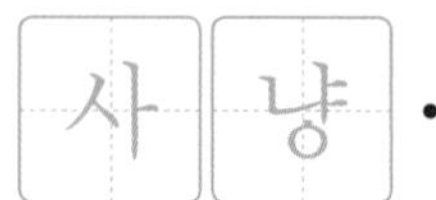

• • ㉯ 산이나 들에서 짐승을 잡는 일.

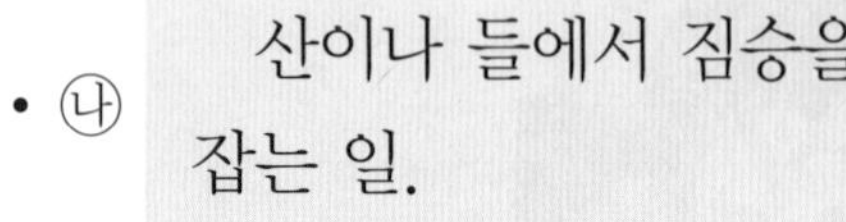

(3)  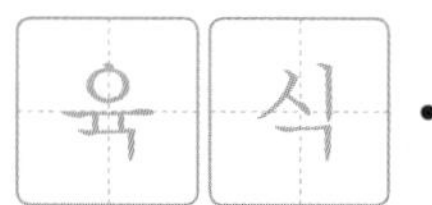

• • ㉰ 남이 모르거나 알 수 없는 일.

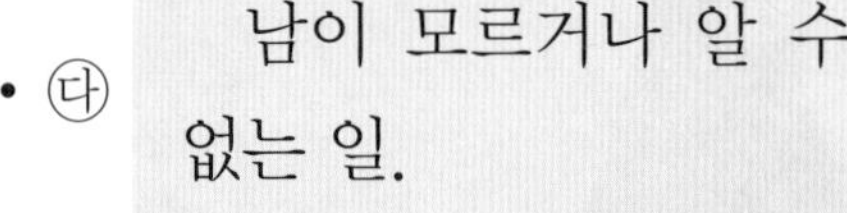

(4)  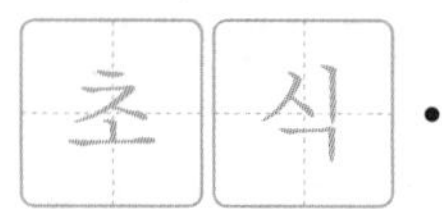

• • ㉱ 동물이 다른 동물의 고기를 먹는 것.

2 다음 뜻을 가진 낱말은 무엇인가요? 바르게 쓴 것을 찾아 [ ]에 색칠하세요.

(1) 

빈 곳이 없게 무엇으로 모두 가려 덮이다.

뒤덮이다 | 둥그렇다

(2) 

어떤 방법을 써서 크기·길이·양 등을 알아보다.

절다 | 재다

짧은 글 독해

설명하는 글

북극과 남극

우리가 살고 있는 지구의 맨 위쪽을 북극, 맨 아래쪽을 남극이라고 합니다. 북극과 남극은 매우 추워서 얼음으로 뒤덮여 있습니다.

북극에는 에스키모가 삽니다. 에스키모들은 얼음으로 집을 만들고, 썰매를 타고 다니면서 사냥을 합니다. 이와 달리 남극에는 사람이 거의 살지 않았다가 얼마 전부터 세계 여러 나라의 과학자들이 와서 연구를 하며 남극의 비밀을 조금씩 풀고 있습니다.

북극

남극

어휘 뜻

에스키모 알래스카·캐나다·그린란드 및 시베리아 등 주로 추운 곳에 사는 사람들.

연구 어떤 주제를 자세히 살피고 따져서 사실을 밝혀내는 일.

3 북극과 남극의 같은 점을 두 가지 고르세요. (　　,　　)

① 매우 춥습니다.
② 얼음으로 뒤덮여 있습니다.
③ 지구의 맨 위쪽에 있습니다.

4 북극과 남극의 다른 점을 생각하며 알맞은 것끼리 선으로 이으세요.

(1) 북극 •　　• ㉮ 에스키모들이 썰매를 타고 다니면서 사냥을 합니다.

(2) 남극 •　　• ㉯ 얼마 전부터 과학자들이 와서 연구를 하고 있습니다.

5주 1일

글 독해

설명하는 글

육식 동물과 초식 동물의 눈

육식 동물과 초식 동물은 대부분 눈이 두 개 있고, 두 눈으로 주위를 살피고 먹이를 찾아요. 하지만 육식 동물과 초식 동물의 눈이 달려 있는 곳은 조금 달라요.

치타나 사자처럼 다른 동물을 잡아먹고 사는 육식 동물은 두 눈이 머리 앞쪽에 달려 있어요. 먹이를 잡기 위해서 거리를 정확하게 재야 하거든요.

▲ 육식 동물이 보는 폭

▲ 초식 동물이 보는 폭

기린이나 얼룩말처럼 풀을 먹고 사는 초식 동물은 두 눈이 머리 양 옆에 달려 있어요. 양쪽으로 넓게 볼 수 있어서 어느 쪽에서 적이 다가오는지 금방 알 수 있지요.

어휘 뜻

육식 동물이 다른 동물의 고기를 먹음.
초식 동물이 풀을 먹음.
폭 어떤 활동이나 상태가 미칠 수 있는 정해진 시간·공간·한계.

5 다음 낱말이 뜻하는 것을 찾아 선으로 이으세요.

(1) 육식 동물 • • ㉮ 풀을 먹고 사는 동물.

(2) 초식 동물 • • ㉯ 다른 동물을 잡아먹고 사는 동물.

6 이 글에서 알 수 있는 육식 동물과 초식 동물의 같은 점은 무엇인가요? 알맞은 내용을 찾아 기호를 쓰세요.

㉮ 대부분 눈이 한 개 있습니다.
㉯ 눈으로 주위를 살피고 먹이를 찾습니다.

7 다음 중 초식 동물을 두 가지 고르세요. (,   )

① 
치타

② 사자

③ 
기린

④ 
얼룩말

8 육식 동물과 초식 동물의 다른 점을 생각하며 빈칸에 알맞은 말을 쓰세요.

눈이 달려 있는 곳

(1) 육식 동물: 두 눈이 머리 (   ) 에 달려 있습니다.

(2) 초식 동물: 두 눈이 머리 (   ) 에 달려 있습니다.

핵심 문장 따라 쓰기

(1) 육 식 동물과 초 식 동물은 눈으로 주위를 살피고 먹이를 찾지만, 눈 이 달려 있는 곳이 조금 달라요.

(2) 육 식 동물은 두 눈이 머 리 앞 쪽 에 달려 있어서 먹이까지의 거리를 정확하게 재요.

(3) 초 식 동물은 두 눈이 머 리 양 옆 에 달려 있어서 어느 쪽에서 적이 다가오는지 금방 알 수 있어요.

지문 분석 강의

인물과 비슷한 행동을 한 사람을 찾아요

1 다음 밑줄 그은 낱말의 반대말을 빈칸에 쓰세요.

(1) 이 옷이 제일 싸다.
이 옷은 너무 ㅂ ☐ ☐.

(2) 동생이 혼자 신발을 신다.
동생이 혼자 신발을 ㅂ ☐.

(3) 하율이가 엄마에게 이야기를 말하다.
하율이가 엄마에게 이야기를 ㄷ ☐.

(4) 친구가 놀이터에서 쓰레기를 줍다.
친구가 놀이터에 쓰레기를 ㅂ ☐ ☐.

2 다음 그림을 보고, [ ]에서 알맞은 말을 찾아 ○표 하세요.

(1)

무엇이 이루어지기를 바라는 일은 [실망 / 소원] 이에요.

(2)

풀을 먹는 동물을 돌보는 사람을 [목동 / 경찰관] 이라 불러요.

짧은 글 독해

세계 명작 동화

지혜로운 아기 양

이솝

아기 양은 갑자기 나타난 무서운 늑대를 보고 깜짝 놀랐지만 침착하게 말했어요.

"늑대님, 저를 잡아먹기 전에 소원 하나만 들어주세요. 쉬운 부탁이에요."

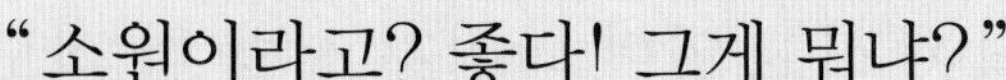

"소원이라고? 좋다! 그게 뭐냐?"

"춤출 수 있게 해 주세요. 그리고 늑대님은 이 피리를 불어 주세요."

늑대는 열심히 피리를 불고, 아기 양은 춤을 췄어요. 그때 피리 소리를 듣고 목동과 사냥개가 달려왔지요. 늑대는 결국 잡히고 말았어요.

어휘 뜻

침착하게 흥분하지 않고 행동이 조심스럽고 바르게.
소원 이루어지기를 바라는 일.
목동 소·양·말 등의 풀을 먹는 동물을 돌보는 사람.

5주 2일

3 **아기 양이 늑대에게 말한 소원은 무엇인가요? (　　　)**

① 목동과 사냥개들을 부르기
② 아기 양은 밥 먹고, 늑대는 춤추기
③ 아기 양은 춤추고, 늑대는 피리 불기

4 **아기 양처럼 위험에 처했을 때 지혜롭게 행동한 친구는 누구인지 찾아 ○표 하세요.**

나는 무서울 때 눈물이 자꾸 나와서 아무것도 할 수가 없어.

나는 길을 잃은 적이 있는데 가까운 경찰서에 찾아가서 부모님을 만났어.

(　　　) 우혁　　태리 (　　　)

글
독해

전기문

간디 선생님의 신발 한 짝

인도에 살았던 간디 선생님은 기차에 타다가 신발 한 짝을 땅에 떨어뜨렸어요. 기차가 소리를 내며 출발하는 바람에 떨어진 신발을 주울 수 없었지요. 옛날에는 신발이 아주 귀하고 비쌌기 때문에 간디 선생님이 신발을 떨어뜨린 것을 지켜본 사람들은 안타까워했어요.

그때 갑자기 간디 선생님이 신고 있던 나머지 신발 한 짝도 던졌어요.

"아이쿠! 선생님, 왜 아까운 신발을 버리시나요?"

간디 선생님은 빙그레 웃으며 말했어요.

"어차피 신발 한 짝은 신을 수 없습니다. 그런데 만약 누군가 신발 두 짝을 줍게 되면 쓸모가 있게 되니 좋은 일이지요."

사람들은 간디 선생님의 깊은 생각에 모두 고개를 끄덕였습니다.

어휘 뜻

빙그레 입을 조금 벌리고 소리 없이 웃는 모양.

쓸모 쓸 만한 가치. 쓰이는 데.

5 이 글은 누구에 대해 쓴 글인가요? 빈칸에 이름을 쓰세요.

☐☐ 선생님

6 간디 선생님이 기차에 타다가 신발을 떨어뜨린 것을 본 사람들의 마음은 어떠했나요? (　　　)

① 미워했습니다.
② 즐거워했습니다.
③ 고소해했습니다.
④ 안타까워했습니다.

7 다음 중 간디 선생님이 한 일을 찾아 기호를 쓰세요.

㉮ 간디 선생님은 기차에서 아주 귀하고 비싼 신발을 샀습니다.
㉯ 간디 선생님은 누군가 신발 두 짝을 줍게 되면 쓸모가 있을 것이라 생각하고, 신고 있던 신발 한 짝도 던졌습니다.

[ ]

8 간디 선생님처럼 다른 사람을 먼저 생각하는 마음을 가진 친구는 누구인지 찾아 ○표 하세요.

(1)  맛있는 음식을 친구들과 나누어 먹지 않고 혼자 먹는 영주 ( )

(2) 굶고 있는 아프리카 어린이들에게 음식을 보내려고 용돈을 모으는 선균 ( )

핵심 문장 따라 쓰기

(1) 간 디 선생님은 기차에 타다가 신 발 한 짝을 땅에 떨어뜨렸어요.

(2) 간디 선생님은 신고 있던 나머지 신 발 한 짝도 던졌어요.

(3) 사람들이 이유를 묻자 간디 선생님은 누군가 신 발 두 짝을 줍게 되면 쓸모가 있을 것이라고 말했어요.

3일 이야기를 읽고 생각을 나누어요

지문 분석 강의

어휘 쏙쏙

1 다음 그림을 보고, 빈칸을 알맞게 채워 낱말을 완성하세요.

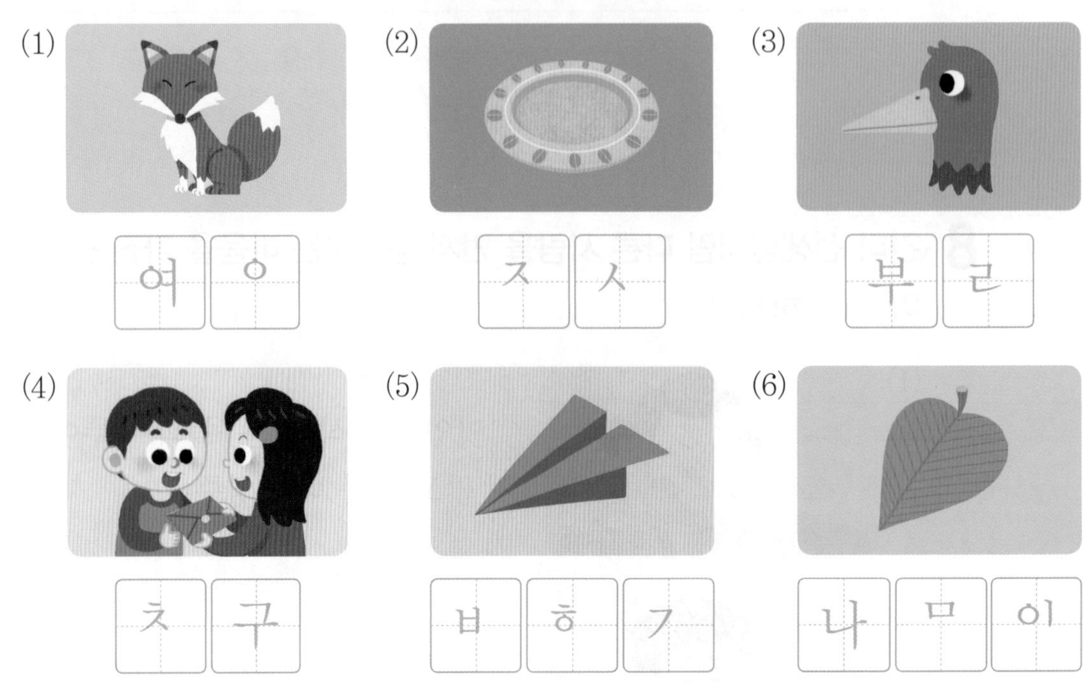

2 받침 'ㄻ'이 들어간 낱말의 뜻을 생각하며 따라 쓰세요.

(1) 

닮다: 무엇과 비슷한 모양이나 성질을 지니다.

쌍둥이가 서로 닮다.

(2) 

굶다: 음식을 먹지 못하다.

늦게 일어나 밥을 굶다.

(3) 

젊다: 나이가 많지 않다.

우리 선생님은 젊다.

짧은 글 독해

창작 동화

아기별

나뭇잎이 알록달록 물들어 가는 어느 날이에요. 서로 꼭 닮은 아기별들은 종이로 만든 비행기를 서로 갖겠다며 다투고 있어요.

첫째 "큰형이니까 내가 가져야 해."

둘째 "내가 먼저 보았으니까 내가 가져야지!"

셋째 "그러지 말고 차례대로 가지고 놀자. 큰형이 처음에 가지고 놀고, 그 다음에 둘째 형, 마지막에 내가 가지고 노는 건 어때? 그러면 싸우지 않아도 돼."

어휘 뜻

물들어 빛깔이 생기거나 넓게 퍼져.

5주 3일

3 **첫째와 둘째의 생각은 무엇인가요? (   ) 안에 알맞은 말을 찾아 ○표 하세요.**

(1) **첫째** 내가 가져야 합니다. 왜냐하면 (큰형 , 작은형)이기 때문입니다.

(2) **둘째** 내가 가져야 합니다. 왜냐하면 (먼저 , 나중에) 보았기 때문입니다.

4 **셋째와 같은 생각을 말한 친구는 누구인지 찾아 ○표 하세요.**

(1) 셋이 차례대로 가지고 놀아야 해요. 왜냐하면 싸우지 않아도 되기 때문이에요.

(   )

(2) 셋째가 계속 가지고 놀아야 해요. 왜냐하면 나이가 제일 어리기 때문이에요.

(   )

세계 명작 동화

글 독해

여우와 두루미

라퐁텐

어느 날, 여우는 친구가 되고 싶은 두루미를 초대했습니다. 여우는 납작하고 넓은 접시에 수프를 담아 놓았습니다.

"두루미님, 수프가 식기 전에 어서 드세요."

여우가 친절하게 말했지만, 두루미의 긴 부리로는 접시에 담긴 수프를 먹을 수가 없었습니다. 두루미는 배만 쫄쫄 굶고 집으로 갔습니다.

다음 날, 두루미가 여우를 집으로 초대했습니다. 두루미는 길고 좁은 병에 음식을 담아 두었습니다.

"여우님, 정성껏 준비한 음식이니 어서 드세요."

하지만 여우는 병에 담긴 음식을 하나도 먹을 수가 없었습니다.

'내가 두루미를 초대해서 접시에 음식을 담은 게 잘못이었구나.'

어휘 뜻

초대 어떤 모임에 남을 오라고 하는 것.

수프 고기나 채소 등을 삶아서 맛을 낸 국물.

정성껏 어떤 사람이나 일을 위해 온 마음과 정신을 다하여.

5 여우가 수프를 담은 그릇은 무엇인가요? (   )

① 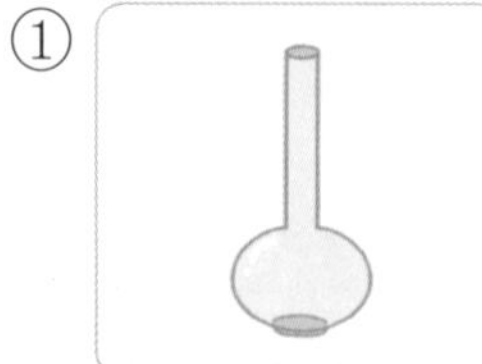 ②  ③  ④ 

6 두루미가 배만 쫄쫄 굶고 집으로 간 까닭은 무엇인가요? (   )

① 두루미와 여우가 크게 싸워서

② 여우가 만든 수프가 맛이 없어서

③ 두루미의 긴 부리로는 접시에 담긴 수프를 먹을 수가 없어서

7 다음에서 여우의 마음은 어떠한가요? (   )

내가 두루미를 초대해서 접시에 음식을 담은 게 잘못이었구나.

① 두루미에게 화가 나는 마음
② 자신의 잘못을 깨닫고 후회하는 마음
③ 길고 좁은 병에 음식을 더 많이 담고 싶은 마음

8 이 글을 읽고 생각을 쓴 것으로 알맞은 것을 모두 찾아 색칠하세요.

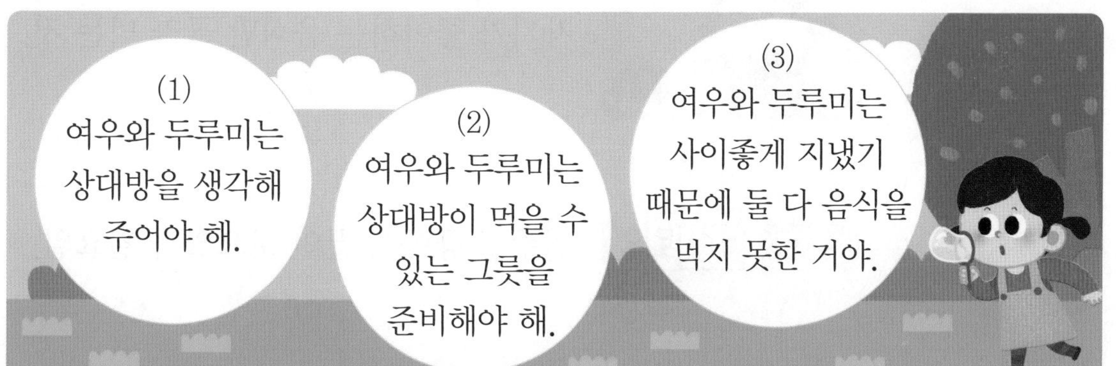

핵심 문장 따라 쓰기

(1) 여우가 납작하고 넓은 접시에 수프를 담아 놓아 두루미는 먹지 못했어요.

(2) 두루미가 길고 좁은 병에 음식을 담아 놓아 여우는 먹지 못했어요.

글쓴이의 생각과 내 생각을 비교해요

1 다음 그림과 뜻을 보고, 알맞은 낱말을 •보기•에서 찾아 쓰세요.

•보기•

편식 허락 주말

(1) 윗사람이 부탁을 들어주는 것.

(2) 자기가 좋아하는 음식만 골라 먹는 것.

(3) 월 화 수 목 금 토 일

일주일 중에서 끝인 토요일과 일요일.

2 다음 그림을 보고, [ ]에서 알맞은 흉내 내는 말을 찾아 ○표 하세요.

(1) 이레는 운동장에서 자전거를 [쏙쏙 / 쌩쌩] 탔어요.

(2) 누나는 매운 떡볶이를 [반짝반짝 / 꾸역꾸역] 먹었어요.

(3) 아기가 깰까 봐 발뒤꿈치를 들고 [조심조심 / 꼬깃꼬깃] 걸어 나갔어요.

쪽지 글

이 생각, 저 생각

슬아야, 병에 걸리지 않으려면 편식하지 말고 음식을 골고루 먹어야 한단다. 음식마다 들어 있는 영양소가 달라서 음식을 골고루 먹어야 몸이 튼튼해지거든. – 엄마가

엄마, 싫어하는 음식을 꾸역꾸역 먹으면 체하기 쉽대요. 그리고 저는 좋아하는 음식을 맛있게 먹을 때가 제일 행복해요. 그러니 제가 좋아하는 음식만 먹게 해 주세요. – 슬아 올림

어휘 뜻

영양소 사람이나 동물이 성장하고 활동하는 데 필요한 좋은 물질.
체하기 먹은 음식이 잘 소화되지 않아 내려가지 않기.
올림 아랫사람이 윗사람에게 편지를 보낼 때, 보내는 사람의 이름 뒤에 쓰는 말.

3 엄마는 왜 음식을 골고루 먹어야 한다고 하셨나요? (　　　)

① 편식하면 체하기 쉽기 때문에
② 음식을 맛있게 먹어야 행복하기 때문에
③ 음식을 골고루 먹어야 몸이 튼튼해지기 때문에

4 슬아와 같은 생각을 한 친구는 누구인가요? 답을 찾아 ○표 하세요.

(1) 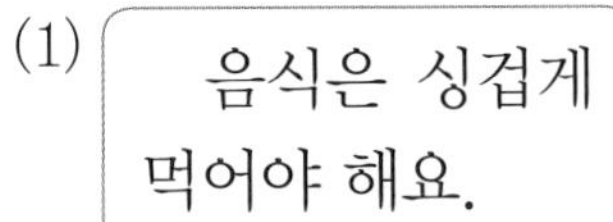

 (　　　)

(2) 음식을 골고루 먹어야 해요.

 (　　　)

(3) 좋아하는 음식만 먹어도 돼요.

 (　　　)

글
독해

편지 글

주말에 자전거를 타게 해 주세요

부모님께

안녕하세요? 준이예요.

엄마, 아빠! 주말에 자전거를 타게 해 주세요. 자전거를 타면 건강에 좋고, 다리가 튼튼해져요. 아직은 자전거를 서툴게 타지만 저도 친구들처럼 자전거를 쌩쌩 잘 타고 싶어요. 자주 타면 자전거 실력도 늘 거예요.

물론 부모님이 위험한 길에서 탈까 봐 걱정하시는 것도 알아요. 차가 다니는 큰길에서는 타지 않고, 공원이나 아파트 단지 안에서만 탈게요. 또 주말에는 부모님이 지켜봐 주실 수 있으니까 괜찮을 거예요.

자전거를 조심조심 탈 테니 꼭 허락해 주세요. 안녕히 계세요.

20○○년 8월 20일

준이 올림

어휘 뜻

서툴게 무엇에 익숙하지 못하거나 잘하지 못하게.
실력 진짜로 어떤 일을 해낼 수 있는 능력.
허락 윗사람이 아랫사람의 부탁을 들어주는 것.

5 **이 글은 누가 누구에게 쓴 편지인지 쓰세요.**

[ ][ ]가 [ ][ ][ ]께

6 **글쓴이가 바라는 것은 무엇인가요? (   )**

① 새 자전거 사기
② 주말에 나들이 가기
③ 주말에 자전거 타기
④ 공원에서 친구들과 놀기

7 이 글에서 알 수 있는, 자전거를 타면 좋은 점은 무엇인가요? (　　　)

① 멋진 옷을 입을 수 있습니다.
② 친구들과 친해질 수 있습니다.
③ 건강에 좋고 다리가 튼튼해집니다.

8 글쓴이와 생각이 다른 친구는 누구인지 찾아 ×표 하세요.

(　　　)　　(　　　)　　(　　　)

핵심 문장 따라 쓰기

(1) 준이는 부모님께 주말에 자전거를 타게 해 달라는 내용의 편지를 썼어요.

(2) 준이는 자전거를 타면 건강에 좋고, 다리가 튼튼해진다며 자전거를 자주 타서 자전거 실력을 늘리고 싶어 했어요.

(3) 준이는 차가 다니는 큰 길에서는 자전거를 타지 않겠다고 다짐했어요.

글의 내용을 새로운 상황에 적용해요

어휘 쑥쑥

1 다음 그림을 보고, [ ]에서 바르게 쓴 말을 찾아 ○표 하세요.

(1)

우리 [함께 / 함깨] 노래 불러요.

(2)

생일의 높임말은 [생식 / 생신]이에요.

(3)

산에 [쓰래기 / 쓰레기]를 버리지 마세요.

(4)

밖에서 놀다 오면 [목욕 / 모곡]을 해요.

(5)

할아버지, 할머니는 [얼른 / 어른]이에요.

(6)

[바다쏙 / 바닷속]에 물고기가 살고 있어요.

짧은 글 독해

설명하는 글

알맞은 말을 써요

우리말에는 예사말과 높임말이 있습니다. 예사말은 편하게 하는 말로, 친구나 동생에게 씁니다. 높임말은 예의 있게 상대방을 높이는 말로, 할아버지, 할머니, 부모님과 같은 어른들께 씁니다.

그림을 보고 우리가 자주 쓰는 예사말과 높임말을 알아보세요.

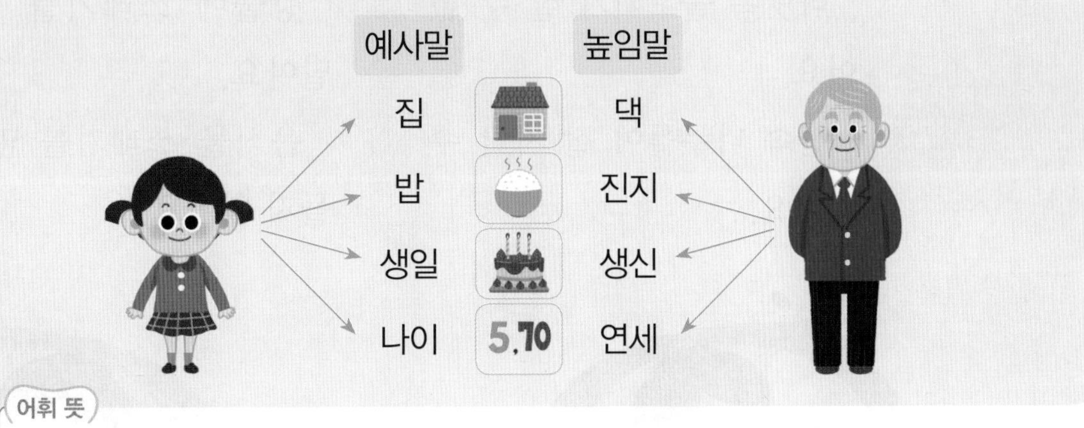

어휘 뜻

예의 여러 사람들과의 관계에서 다른 사람을 귀하게 생각해 조심하는 말씨와 몸가짐.

2 다음 낱말의 높임말을 알맞게 찾아 선으로 이으세요.

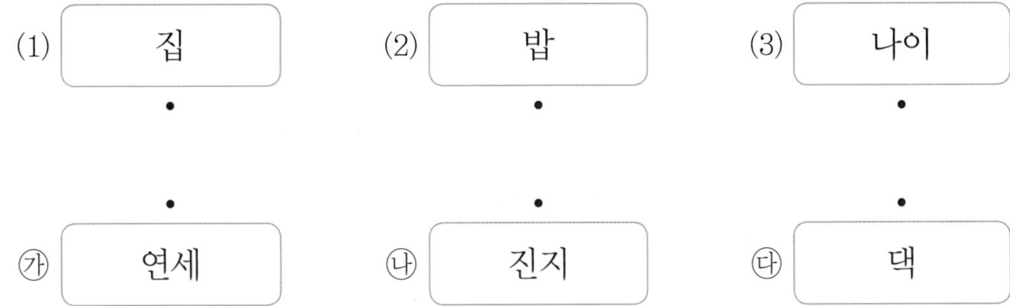

3 아이들이 할아버지께 바르게 말한 것은 무엇인지 찾아 색칠하세요.

글 독해

광고 글

우리가 할 일

물이 오염되면

물을 마실 수 없어요.

목욕을 할 수 없어요.

바닷속 물고기가 살 수 없어요.

산속 나무들이 잘 자랄 수 없어요.

물을 오염시키지 않으려면

비누를 조금만 사용해요.

물에 기름을 버리지 않아요.

강물에 쓰레기를 버리지 말아요.

음식물 쓰레기를 많이 만들지 않아요.

어휘 뜻

오염 물이나 공기, 흙 등이 더러워지는 것.

4 이 글은 무엇에 대한 글인가요? (　　　)

① 물 오염　② 물놀이 방법

③ 음식 요리 방법　④ 나무가 주는 도움

5 물이 오염되면 일어날 일로 알맞지 않은 것은 무엇인가요? (　　　)

① 물을 마실 수 없습니다.

② 목욕을 자주 할 수 있습니다.

③ 바닷속 물고기가 살 수 없습니다.

6 이 글에서 말하고 싶은 것은 무엇일까요? 기호를 찾아 쓰세요.

㉮ 물은 소중하니까 오염시키지 말아야 해요.
㉯ 물은 얼마든지 있으니까 함부로 써도 돼요.

[ ]

7 물을 오염시키지 않기 위해 우리가 할 일을 더 찾아보았습니다. 알맞은 것은 무엇인가요? (　　　)

① 

음식을 많이 남겨요.

② 

샴푸를 조금만 사용해요.

③ 

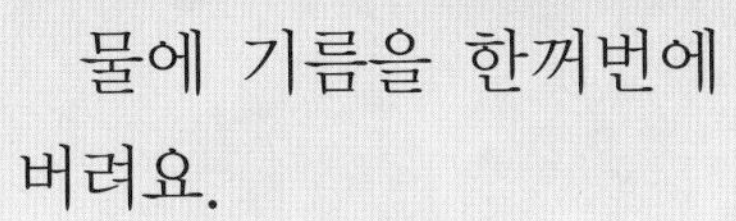

물에 기름을 한꺼번에 버려요.

④ 

강물에 음식물 쓰레기를 버려요.

핵심 문장 따라 쓰기

(1) 물이 [오][염]되면 물을 마실 수 없고, [목][욕]을 할 수 없고, 물고기가 살 수 없고, [나][무]들이 잘 자랄 수 없어요.

(2) [물]을 오염시키지 않으려면 [비][누]를 조금만 사용하고, 물에 [기][름]을 버리지 않고, 강물에 [쓰][레][기]를 버리지 말고, 음식물 쓰레기를 많이 만들지 않아요.

이어질 내용 상상하기

착한 흥부가 제비의 부러진 다리를
고쳐 주었어요.
1

제비가 흥부에게 고마워하며
물어다 준 박씨가 박이 되었어요.
박씨
그 박에서 보물이
나왔어요.
2

샘이 난 놀부가 일부러
제비의 다리를
부러뜨렸어요.
3

6주

내용을 응용해요

1일 생각에 대한 까닭을 더 알아요

2일 빠진 내용을 찾아요

3일 이어질 내용을 상상해요

4일 새로운 내용으로 바꾸어요

5일 독서 감상문을 읽어요

흥부 와 놀부

나쁜 놀부에게 일어날 일을 상상해 봐!

1일 생각에 대한 까닭을 더 알아요

1 **다음 그림과 뜻을 보고, 알맞은 낱말을 •보기•에서 찾아 쓰세요.**

•보기•

시간　　　　도시　　　　충치

(1) 무슨 일을 하기 위한 정해진 동안.

(2) 병을 일으키는 세균이 생겨서 썩은 이.

(3) 여러 활동의 중심이 되며, 사람들이 많이 사는 곳.

2 **다음 그림을 보고, [　] 에서 알맞은 말을 찾아 ○표 하세요.**

(1) 이가 아플 때 가는 병원은 [내과 / 치과] 예요.

(2) 미술 작품을 전시하고 구경하는 곳은 [도서관 / 미술관] 이에요.

(3) 재미있는 놀이 기구가 많은 곳은 [박물관 / 놀이공원] 이에요.

짧은 글 독해

주장하는 글

이를 잘 닦읍시다

여러분, 우리 모두 이를 잘 닦읍시다. 이를 닦는 시간은 몇 분밖에 걸리지 않습니다.

이를 닦지 않으면 입에서 냄새가 나고 충치가 생길 수도 있습니다. 특히 충치가 생기면 이가 아파 치과에 가야 합니다.

그리고 이를 닦지 않으면 김 가루나 고춧가루 같은 음식물이 이에 끼어서 보기 싫습니다.

어휘 뜻

충치 병을 일으키는 세균이 생겨서 썩은 이.

치과 이가 아플 때 가는 병원.

3 글쓴이의 생각은 무엇인가요? 기호를 찾아 쓰세요.

㉮ 이를 잘 닦읍시다.

㉯ 밥을 맛있게 먹읍시다.

㉰ 치과에 자주 들릅시다.

( )

4 이 글에서 파란색으로 쓴 부분은 글쓴이의 생각에 대한 까닭입니다. 까닭을 하나 더 쓸 때, 알맞은 것은 무엇인가요? ( )

① 김으로 싼 음식은 맛이 있습니다.

② 이를 닦지 말고 쉬는 게 더 편합니다.

③ 밥을 먹고 이를 닦으면 기분이 상쾌해져서 좋습니다.

6주 1일

대화 글

친구들이 살고 싶은 곳

오늘 새싹반 친구들은 어디에서 살고 싶은지 그림을 그렸어요. 그리고 자기의 생각과 그렇게 생각한 까닭을 이야기해 보았어요.

다혜: 나는 산속에서 살고 싶어. 산속은 공기가 맑아서 건강에도 좋고, 푸른 나무와 예쁜 꽃을 매일 볼 수 있기 때문이야.

준호: 나는 지금처럼 도시에서 살고 싶어. 도시에는 놀이공원도 있고, 박물관이나 미술관도 있어서 볼거리가 많으니 좋잖아?

우영: 나는 바다 가까이에서 살면 좋겠어. 바닷가는 주변의 경치가 아름답기 때문이야. 그리고 물놀이를 자주 할 수도 있어.

어휘 뜻

매일 그날그날. 날마다.
박물관 역사·예술·과학·민속 등의 옛날 물건을 모아서 보여 주어 사람들의 교육을 돕는 곳.
경치 자연의 아름다운 모습.

5 새싹반 친구들이 한 일은 무엇인가요? (　　　)

① 되고 싶은 것 그리기　　② 살고 싶은 곳 말하기
③ 먹고 싶은 것 그리기　　④ 함께 살고 싶은 사람 말하기

6 다혜가 산속에 살고 싶다고 말한 까닭은 무엇인가요? (　　　)

① 산속에 놀이공원이 있어서
② 물놀이를 마음껏 할 수 있어서
③ 푸른 나무와 예쁜 꽃을 매일 볼 수 있어서

7 준호와 우영이가 살고 싶은 곳과 그렇게 생각한 까닭을 찾아 선으로 이으세요.

	살고 싶은 곳	그렇게 생각한 까닭
(1) 준호 •	• ㉮  •	• ㉠ 볼거리가 많아서 좋기 때문에
(2) 우영 •	• ㉯  •	• ㉡ 주변의 경치가 아름답고, 물놀이를 자주 할 수 있기 때문에

8 다음은 다혜, 준호, 우영이 가운데 누가 말했을까요? 가장 어울리는 친구의 이름을 쓰세요.

또, 친구들과 바닷가에서 모래놀이도 재미있게 할 수 있어서 좋아.

( )

핵심 문장 따라 쓰기

(1) 오늘 새싹반 친구들은 [어][디]에서 살고 싶은지 그림을 그리고, 자기 [생][각]을 말했어요.

(2) 다혜는 [산][속]에서, 준호는 [도][시]에서, 우영이는 [바][다][가][까][이]에서 살고 싶다고 말했어요.

2일 빠진 내용을 찾아요

지문 분석 강의

어휘 쏙쏙

1 다음 낱말을 따라 쓰고, 그 뜻을 찾아 선으로 이으세요.

(1)  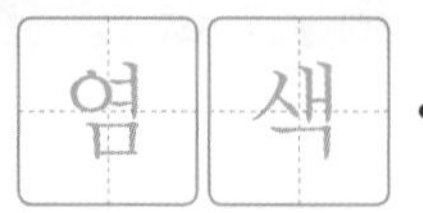 염색 • • ㉮ 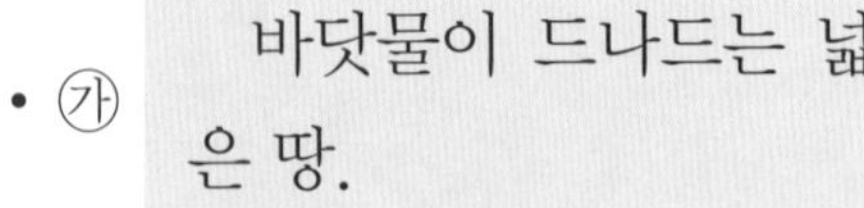 바닷물이 드나드는 넓은 땅.

(2) 

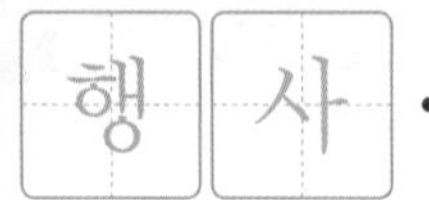 행사 • • ㉯ 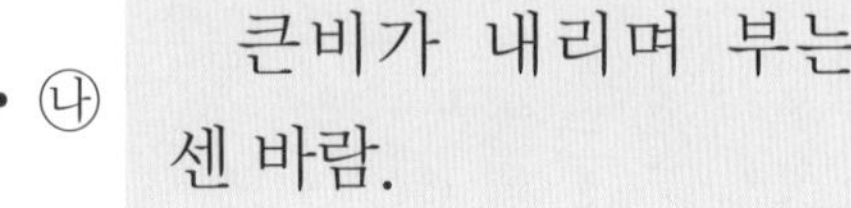 큰비가 내리며 부는 센 바람.

(3)  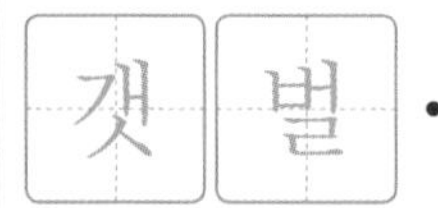 갯벌 • • ㉰ 천을 다른 색깔로 물들이는 것.

(4)  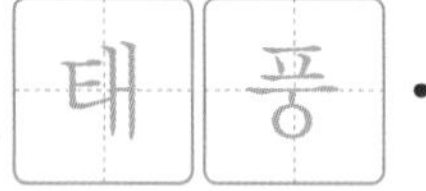 태풍 • • ㉱ 여럿이 어떤 목적을 가지고 하는 일.

2 다음 뜻을 가진 낱말은 무엇인가요? 바르게 쓴 것을 찾아 ▭에 색칠하세요.

(1) 

자기가 직접 겪다.

열리다 / 체험하다

(2)  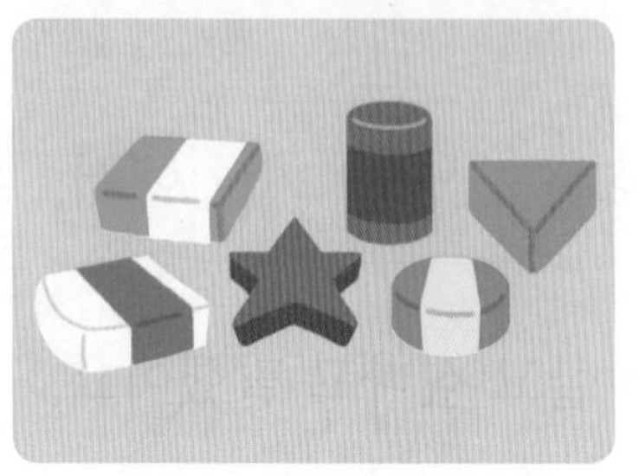

종류는 같으면서 색깔·모양·내용 등이 서로 다른 것이 많다.

다양하다 / 드나들다

짧은 글 독해

안내문

옛사람들처럼 생활하기

'옛사람들처럼 생활하기' 행사가 열리니 많은 참여 바랍니다.

- **때와 곳**: 9월 1일~10월 31일, 어린이 박물관
- **대상**: 7세~8세 어린이, 부모님
- **내용**: 옛사람들이 쓰던 그릇 만들기
  옛사람들이 입던 염색 옷 만들기
- **좋은 점**: 옛사람들이 사용한 물건을 만들면서
  옛사람들의 지혜를 배울 수 있습니다.

어휘 뜻

행사 여럿이 어떤 목적을 가지고 하는 일.
참여 여러 사람이 같이하는 어떤 일에 끼어서 함께 일하는 것.
염색 천을 다른 색깔로 물들이는 것.

3 이 글은 어떤 내용의 글인가요? 알맞은 것을 찾아 ○표 하세요.

(1) 어린이 미술관의 변한 모습을 소개하는 글 ( )

(2) '옛사람들처럼 생활하기' 행사를 안내하는 글 ( )

(3) 옛이야기와 옛날 물건을 자세히 설명하는 글 ( )

6주 2일

4 이 글에서 빠진 내용을 두 가지 찾아 색칠하세요.

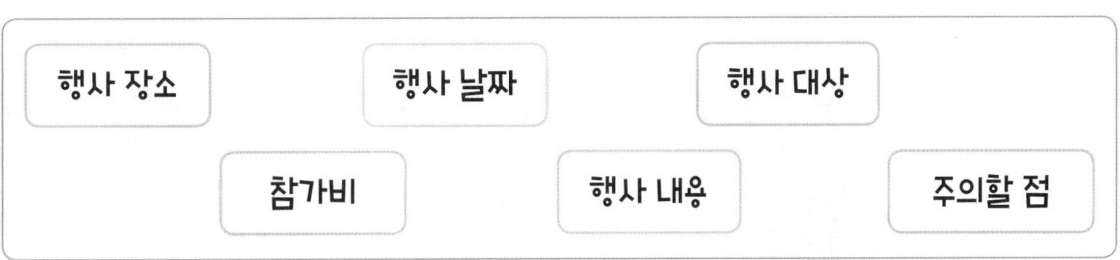

설명하는 글

갯벌이 우리에게 주는 것

갯벌은 바닷물이 드나드는 넓은 땅입니다. 이 갯벌은 우리에게 많은 도움을 줍니다.

첫째, 갯벌은 우리에게 자연 그대로의 먹을거리를 줍니다. 낙지부터 게, 조개, 굴 등 종류도 매우 다양합니다.

둘째, 갯벌은 큰비가 내리며 부는 매우 센 바람인 태풍을 막아 줍니다. 또, 갯벌은 갑자기 파도가 크게 생겨나 땅으로 넘쳐 들어오는 해일을 막아 줍니다.

셋째,

넷째, 갯벌은 볼거리가 많습니다. 그래서 요즘에는 가족이 함께 체험하는 곳으로도 인기가 높습니다.

어휘 뜻

체험 직접 겪은 일.

인기 무엇에 대해서 쏠리는, 많은 사람의 관심이나 좋아하는 마음.

5 **이 글은 무엇을 설명한 글인가요? (　　　)**

① 굴을 먹는 방법
② 갯벌에 갈 때 준비물
③ 태풍과 해일의 비슷한 점
④ 갯벌이 우리에게 주는 도움

6 **갯벌이 주는 먹을거리는 무엇인지 두 가지를 고르세요. (　　,　　)**

① 

② 

③ 

④ 

7 다음 뜻을 가진 낱말은 무엇인가요? 글에서 찾아 쓰세요.

(1) 바닷물이 드나드는 넓은 땅.

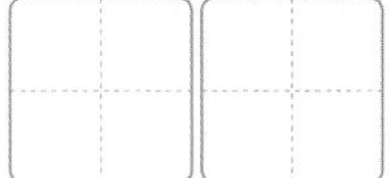

(2) 큰비가 내리며 부는 매우 센 바람.

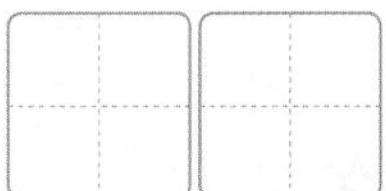

(3) 갑자기 파도가 크게 생겨나 땅으로 넘쳐 들어오는 것.

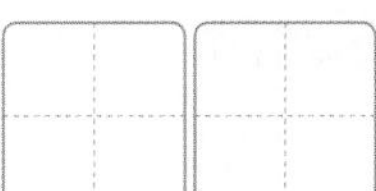

8 이 글에서 지워진 부분인  에 들어갈 내용은 무엇일까요? 알맞은 것을 찾아 기호를 쓰세요.

㉮ 바닷물에 들어가기 전에 준비 운동을 합시다.
㉯ 갯벌에 사는 아주 작은 생물은 바다로 흘러나가는 나쁜 것들을 깨끗하게 만들어 줍니다.

6주 2일

핵심 문장 따라 쓰기

(1) 갯벌은 우리에게 많은 도움을 줘요.

(2) 갯벌은 우리에게 자연 그대로의 먹을거리를 줘요.

(3) 갯벌은 태풍과 해일을 막아 줘요.

(4) 갯벌은 볼거리가 많아요.

3일 이어질 내용을 상상해요

1 다음 그림을 보고, [ ]에서 알맞은 말을 찾아 ○표 하세요.

(1) 

희수가 [통통 / 넙죽] 엎드려 절을 해요.

(2) 

고구마에서 맛있는 냄새가 [꽁꽁 / 솔솔] 나요.

(3) 

꿀벌 옆에서 나비가 [훨훨 / 야옹] 날고 있어요.

2 다음 그림을 보고, ▢ 안에 알맞은 글자를 쓰세요.

짧은 글 독해

전래 동화

은혜 갚은 호랑이

옛날 어느 마을에 마음씨 착한 나무꾼이 살았어요. 하루는 나무꾼이 산속에서 피를 흘리며 아파하는 호랑이를 보았어요. 자세히 보니 호랑이의 목구멍에 비녀가 걸려 있었지요. 나무꾼은 캑캑거리는 호랑이의 목에서 비녀를 뽑아 주었어요.

그러자 호랑이가 나무꾼에게 넙죽 큰 절을 하며 말했어요.

"고맙습니다. 이 은혜는 절대 잊지 않겠습니다!"

어휘 뜻

은혜 남에게 베푸는 매우 고마운 일.

비녀 여자의 머리를 한데 모아 뭉쳐 풀어지지 않도록 꽂는, 가늘고 긴 도구.

3 나무꾼이 한 일은 무엇인가요? (　　　)

① 호랑이 목에서 비녀를 뽑아 주었습니다.

② 호랑이가 무서워서 멀리 도망을 갔습니다.

③ 호랑이에게 큰절을 하며 고맙다고 말했습니다.

6주 3일

4 파란색으로 표시한 호랑이가 한 말을 큰 소리로 읽어 보세요. 그리고 이 이야기에 이어질 내용으로 알맞은 것을 찾아 ○표 하세요.

(1) 나무꾼이 다시 호랑이 목에 비녀를 넣었습니다. (　　　)

(2) 그 뒤로 호랑이는 날마다 나무꾼의 집에 나무도 해다 주고, 노루나 멧돼지 같은 짐승도 물어다 주었습니다. (　　　)

글
독해

창작 동화

나 하나쯤 어때?

엄혜숙

"우아, 이렇게 넓은 꽃밭은 처음 봐!"

"정말 멋진걸!"

활짝 핀 꽃에서 꽃향기가 솔솔 풍겨 왔어요. 나비는 훨훨 날고, 꿀벌은 윙윙 소리를 내요. 표지판에는 '꽃을 꺾지 마세요.'라고 쓰여 있었지만 곰돌이는 꽃을 꺾어 모자에 꽂으면 참 근사해 보일 것 같았어요.

"뭐, 나 하나쯤 어때?"

곰돌이는 꽃을 꺾어 모자에 꽂았어요.

"나도 할래! 나도 할래!"

친구들도 모두 꽃을 꺾어 머리에 꽂았지요. 그 바람에 그만 꽃밭 여기저기를 밟고 말았어요.

어휘 뜻

꽃향기 꽃에서 나는 좋은 냄새.
표지판 여러 사람에게 알리려고 어떤 내용을 적거나 그려서 세워 놓은 판.
근사해 아주 그럴 듯하고 좋아.

5 **어디에서 일어난 일인가요? (　　　)**

① 꽃가게　② 모자 가게　③ 넓은 꽃밭　④ 넓은 바닷가

6 **표지판에 뭐라고 쓰여 있었나요? 빈칸에 알맞은 말을 쓰세요.**

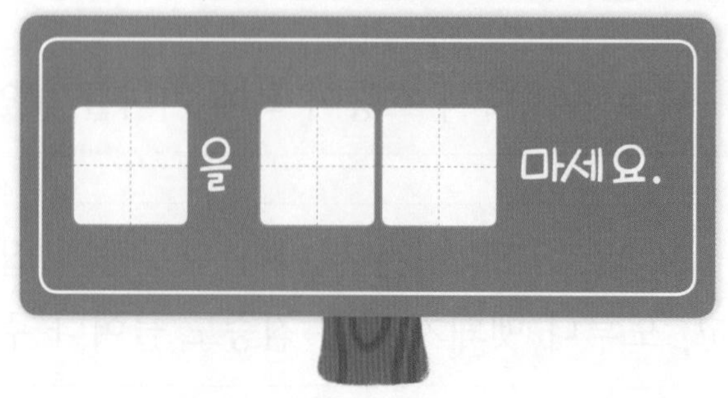

7 **한 친구가 이 이야기에 이어질 내용을 상상해 글을 쓰고, 그림을 그렸어요. (　　　)에 들어갈 알맞은 말을 찾아 ○표 하세요.**

다른 곳에서 놀던 곰돌이와 친구들이 다시 돌아왔어요. 그런데 멋진 꽃밭이 여기저기 엉망이었어요.

"내가 '나 하나쯤 어때?' 하는 생각으로 (1) (꽃 , 연필)을 마구 꺾어서 그래."

"맞아. '나 하나쯤 어때?' 하는 생각이 모여 (2) (냇물 , 꽃밭)이 이렇게 엉망이 된 거야."

곰돌이와 친구들은 (3) (행복해서 , 부끄러워서) 고개를 푹 숙이고 말았어요.

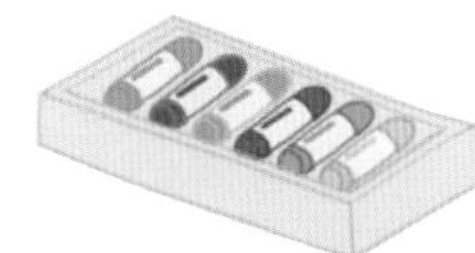

핵심 문장 따라 쓰기

(1) 멋진 꽃 밭 에 '꽃을 꺾지 마세요.'라고 쓰인 표 지 판 이 있었어요.

(2) 곰돌이는 "뭐, 나 하나쯤 어때?"라고 말하며 꽃을 꺾어 모자에 꽂았어요.

(3) 친구들도 모두 꽃 을 꺾어 머 리 에 꽂는 바람에 꽃밭 여기저기를 밟고 말았어요.

새로운 내용으로 바꾸어요

지문 분석 강의

1 다음 낱말과 뜻이 반대인 낱말을 찾아 선으로 이으세요.

(1)  자다 • • ㉮  느리다

(2)  빠르다 • • ㉯  도착하다

(3)  출발하다 • • ㉰  일어나다

2 다음 그림을 보고, [ ]에서 알맞은 말을 찾아 ○표 하세요.

(1) 

산의 맨 위는 [지하 / 산꼭대기]예요.

(2) 

소나무의 열매는 [솔방울 / 물방울]이에요.

(3) 

경기에서 실력을 겨루는 것은 [시합 / 시중]이에요.

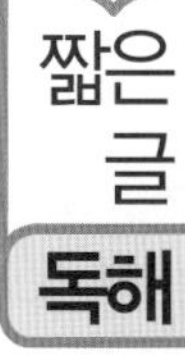

전래 동요

새는 새는

새는 새는
나무에서 자고
쥐는 쥐는
구멍에서 자고

돌에 붙은 조개껍데기야
나무에 붙은 솔방울아

나는 나는 어디에서 자나
나는 나는 엄마 품에서 자지.

어휘 뜻

솔방울 소나무의 열매. 비늘 같은 조각이 겹겹이 달려 있고, 그 사이에 씨가 들어 있음.

3 이 노래에서 새, 쥐, '나'는 어디에서 잔다고 했나요? •보기•에서 답을 찾아 쓰세요.

•보기•

구멍　　풀잎　　교실　　나무　　엄마 품

(　　　　)　(　　　　)　(　　　　)

4 이 노래의 끝부분을 새롭게 바꾸어 쓰려고 합니다. 빈칸에 알맞은 말을 상상하여 쓰세요.

나는 나는 어디에서 자나 나는 나는 엄마 품에서 자지.	➡	나는 나는 어디에서 자나 나는 나는 [　　　　] 에서 자지.

6주
4일

글 독해

세계 명작 동화

토끼와 거북

이솝

아주 먼 옛날, 매우 빠른 토끼와 매우 느린 거북이 살았어요. 토끼는 거북에게 느림보라고 놀려 댔지요.

"느림보야, 우리 저 산꼭대기까지 달리기 시합할까?"

"좋아. 출발하자!"

한참 달리던 토끼는 거북이 빨리 따라오지 못하는 것을 보고는 마음을 푹 놓았어요.

"아유, 재미없어. 거북은 언제 오나? 난 한숨 잠이나 자고 가야겠다."

토끼는 시합을 하다 말고 쿨쿨 잠을 잤어요.

『거북은 엉금엉금 가다가 토끼가 자는 모습을 보았지만 쉬지 않고 열심히 기어갔어요. 결국 어떻게 되었냐고요? 거북이 산꼭대기에 먼저 도착해 이겼답니다.』

어휘 뜻

시합 경기나 기술 등에서 누가 더 잘하는지 서로 실력을 겨루는 것.

도착 가려고 하는 곳에 다다르는 것.

5 **언제 일어난 이야기인가요? (　　　)**

① 산꼭대기　② 오늘 아침

③ 지난 가을　④ 아주 먼 옛날

6 **토끼와 거북은 무엇을 하였나요? 빈칸에 알맞은 말을 쓰세요.**

산꼭대기까지 □□□ 시합을 했습니다.

7 이 글에서 거북은 마지막에 어떤 말을 했을까요? 알맞은 것을 찾아 색칠하세요.

8 이 이야기에서 『 』 부분을 •보기•와 같이 바꾼다면, 토끼는 거북에게 어떤 마음이 들까요? 답을 두 가지 고르세요. (,   )

•보기•
거북은 잠자는 토끼를 깨워 같이 가자고 말했어요. 토끼와 거북은 산꼭대기에 함께 도착해 마주보고 웃었답니다.

① 미안한 마음　② 고마운 마음
③ 얄미운 마음　④ 속상한 마음

핵심 문장 따라 쓰기

(1) 토끼와 거북이 산꼭대기까지 달리기 시합을 했어요.

(2) 빨리 달리던 토끼는 시합을 하다 말고 잠을 잤어요.

(3) 거북은 쉬지 않고 열심히 기어가 산꼭대기에 먼저 도착해 이겼어요.

5일 독서 감상문을 읽어요

지문 분석 강의

어휘 쏙쏙

1 다음 상황에 어울리는 마음을 나타내는 말을 •보기•에서 찾아 쓰세요.

•보기•
미안해요 기뻐요 부끄러워요 미워요

(1) 상을 받아서 (　　　　).

(2) 내가 찬 공에 맞은 친구에게 (　　　　).

(3) 혼자 다 먹는 친구가 (　　　　).

(4) 사람들 앞에서 말하기가 (　　　　).

2 다음 　　 에 쓰인 낱말에 포함되는 낱말을 •보기•에서 찾아 쓰세요.

•보기•
교실 백조 형제 자매 오리 도서실

(1) 가족 — [　　] [　　] [남매]

(2) 동물 — [　　] [　　] [호랑이]

(3) 학교 — [　　] [　　] [급식실]

짧은 글 독해

독서 감상문

『콜럼버스의 탐험』을 읽고

날짜	11월 6일 금요일	날씨	흐리고 비

오늘 도서실에서 『콜럼버스의 탐험』을 읽었다.

이 책은 콜럼버스가 한 일을 쓴 것이다. 콜럼버스는 새로운 땅을 발견한 유명한 탐험가이다. 콜럼버스는 탐험을 하면서 많은 어려움을 겪었지만 모두 잘 이겨 냈다.

이 책을 읽으면서 부끄러운 마음이 들었다. 나는 조금만 힘들어도 쉽게 포기하기 때문이다. 나도 콜럼버스처럼 용기 있게 행동해야겠다.

어휘 뜻

탐험 알려지지 않은 곳을 위험을 무릅쓰고 찾아다니며 살피는 것.

발견한 이제까지 찾아내지 못했거나 세상에 알려지지 않은 것을 처음으로 찾아내거나 알아낸.

6주 5일

3 이 글을 통해 알 수 있는 것은 무엇인가요? (　　　)

① 콜럼버스는 유명한 작가입니다.

② 글쓴이는 『콜럼버스의 탐험』을 읽었습니다.

③ 콜럼버스는 탐험을 하며 겪은 어려움을 이겨 내지 못했습니다.

4 글쓴이의 생각이나 느낌이 드러난 부분은 무엇인가요? 답을 찾아 ○표 하세요.

(1) 이 책은 콜럼버스가 한 일을 쓴 것이다. (　　)

(2) 이 책을 읽으면서 부끄러운 마음이 들었다. (　　)

글
독해

독서 감상문

『미운 아기 오리』를 읽고

어제 지원이가 재미있게 읽었다고 한 책 『미운 아기 오리』를 빌려 읽었습니다.

이 책은 오리 가족 중에 못생겨서 미움을 받은 아기 오리의 이야기입니다. 미운 아기 오리는 형제들과 다르게 못생기고, 몸집도 크고, 색깔도 까맸습니다. 그래서 형제들은 미운 아기 오리와 놀아 주지 않았습니다. 다른 동물들도 미운 아기 오리를 놀리고 괴롭혔습니다. 그런데 미운 아기 오리는 하얀 깃털이 나면서 자신이 오리가 아니라 아름다운 백조라는 것을 알게 됩니다.

이 책을 읽으며 친구를 놀렸던 일이 떠올라 그 친구에게 미안한 마음이 들었습니다. 그리고 미운 아기 오리가 아름다운 백조로 변할 때는 참 기뻤습니다.

어휘 뜻

깃털 새의 몸에 붙어 있는 털. 새의 털.

백조 오리와 비슷하나 몸집은 더 크고 몸의 빛깔이 희며, 부리는 노랗고 다리는 검은 큰 물새.

백조 ▶

5 이 글은 무슨 책을 읽고 쓴 독서 감상문인가요? 책 이름을 쓰세요.

(『 』)

6 다음 중 미운 아기 오리는 누구일까요? ( )

① 
② 
③ 
④ 

7 **글쓴이가 읽은 책의 내용으로 알맞지 않은 것은 무엇인가요? (　　　)**

① 미운 아기 오리의 아빠는 여행을 갔습니다.
② 미운 아기 오리는 아름다운 백조로 변했습니다.
③ 형제들이 미운 아기 오리와 놀아 주지 않았습니다.

8 **글쓴이가 책을 읽고 느낀 점은 무엇인지 두 가지를 고르세요. (　　,　　)**

① 지원이의 말과 다르게 책이 재미없었습니다.
② 미운 아기 오리가 아름다운 백조로 변할 때 참 기뻤습니다.
③ 친구를 놀렸던 일이 떠올라 그 친구에게 미안한 마음이 들었습니다.

핵심 문장 따라 쓰기

(1) 『미운 아기 오리』는 오리 가족 중에 못생겨서 미움을 받은 아기 오리의 이야기예요.

(2) 미운 아기 오리는 하얀 깃털이 나면서 자신이 오리가 아니라 아름다운 백조라는 것을 알게 돼요.

(3) 글쓴이는 책을 읽으며 친구를 놀렸던 일이 떠올라 친구에게 미안한 마음이 들었고, 미운 아기 오리가 백조로 변할 때는 참 기뻤어요.

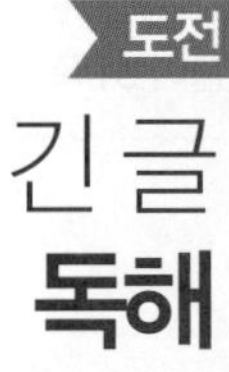

도전

긴글 **독해**

앞에서 공부한 독해 방법을 다시 생각하며 창작 동화 독해에 도전해 보세요.

1 쉿! 조심조심! 살금살금!

이상교

은재와 신재는 엄마랑 아빠랑 할머니, 할아버지한테 가는 길이에요. 지하철을 타고 가지요.

신재와 은재는 끝말잇기를 했어요. 지하철, 철도, 도둑, 둑길, 길목, 목……. 신재는 '목'에서 콱 막혔어요.

"에이, 재미없어. 그만 할래!"

맞은편에 앉아 꾸벅꾸벅 졸던 아저씨가 은재의 큰 목소리에 놀라 눈을 떴어요. 조금 뒤, 신재는 자리에서 일어나 뛰어올라 손잡이에 매달렸어요. 그 바람에 옆에 서 있던 아주머니의 손가방이 바닥에 툭 떨어졌어요.

이윽고 할머니, 할아버지를 만나 식당에 갔어요. 어른들은 이야기를 나눴어요.

"형, 이 상 밑으로 기어들어갔다가 나올 수 있어?"

"그걸 누가 못 해? 너부터 먼저 해 봐."

신재는 바닥에 등을 대고 누운 채 상 밑을 잘도 빠져 나왔어요. 은재도 바닥에 납작 엎드려 빠져 나오려고 했지요.

쿵! 주르륵! 엉덩이를 들썩거린 바람에 상 위 물통이 쓰러지고, 물이 왈칵 쏟아졌어요. 옆에 있던 아주머니들이 놀라 벌떡 일어났어요.

어휘 뜻

이윽고 얼마쯤 시간이 흐른 뒤에 드디어.

납작 몸을 바닥에 대며 낮게 엎드리는 모양.

글을 읽고 나서 생각해 보세요.

- 이 이야기의 배경은 어디에서 어디로 바뀌었나요?
- 신재와 은재가 한 일을 통해 알 수 있는 이야기가 주는 교훈은 무엇인가요?
- 이 이야기에 이어질 내용은 무엇일까요? 제목을 보고 짐작해 보세요.

앞에서 공부한 독해 방법을 다시 생각하며 설명하는 글 독해에 도전해 보세요.

❷ 우리 몸을 지휘하는 뇌

사람의 머릿속에 있는 생각주머니를 가리켜 '뇌'라고 불러요. 뇌는 우리를 생각하게 하는 것 뿐만 아니라 여러 가지 중요한 일을 많이 해요.

우리는 눈, 귀, 코, 혀, 피부로 보고, 듣고, 냄새를 맡고, 맛을 보고, 느껴요. 이 다섯 가지 감각으로 얻은 정보는 어디로 갈까요? 모든 정보는 뇌로 간답니다.

우리는 다섯 가지 감각으로 얻은 모든 정보를 종류별로 나누기도 하고, 한꺼번에 여러 가지 감각을 쓰기도 해요. 예를 들어, 우리가 책을 볼 때는 주로 '시각'이라는 한 가지 감각을 써요. 하지만 강아지와 놀 때는 여러 감각을 쓰지요. 보고, 듣고, 냄새를 맡고, 만져 보고……. 이 모든 것을 지휘하는 것이 바로 머릿속의 뇌예요.

우리는 기억을 통해 생김새, 소리, 맛, 느낌, 냄새를 떠올릴 수 있어요. 아이스크림을 만져 보지 않고도 차다는 것을 알 수 있는 것은 아이스크림에 대한 정보가 뇌 속에 저장되어 있기 때문이지요. 자동차의 '빵빵' 소리만 듣고 피할 수 있는 것도 그 소리가 매우 위험하다는 정보를 뇌에 기억해 두었기 때문이지요.

어휘 뜻

감각 보고, 듣고, 냄새 맡고, 맛보고, 느끼는 다섯 가지 능력.

지휘 어떤 단체를 그 단체의 목적에 맞게 일하도록 지시하고 다스리는 것.

저장 나중에 쓰려고 물질이나 물건을 모아 보관하는 것.

글을 읽고 나서 생각해 보세요.

- 이 글에서 설명하는 대상은 무엇인가요?
- 이 글의 내용으로 보아, 뇌가 하는 일은 무엇인가요?
- 뇌가 다치지 않도록 우리가 해야 할 일은 무엇일까요?

도전 긴글 독해

앞에서 공부한 독해 방법을 다시 생각하며 역사 이야기 독해에 도전해 보세요.

③ 하늘을 나는 연

옛날, 신라 때 비담과 염종이라는 신하가 있었어요. 이 둘은 진덕 여왕에게 불만을 품고 몰래 군사를 모아, 진덕 여왕을 내쫓으려고 싸움을 일으켰지요. 하지만 김유신 장군의 군대는 이들과 열심히 싸웠어요.

어느 날, 하늘에서 큰 별 하나가 진덕 여왕이 머무는 궁궐 쪽에 떨어졌어요. 비담과 염종은 이것을 보고 자신의 군사들에게 말했어요.

"저렇게 큰 별이 궁궐 쪽으로 떨어진 것은 여왕이 질 것이라는 하늘의 뜻이다."

비담과 염종의 군대가 다시 쳐들어온다는 소식을 듣고, 진덕 여왕과 신하들은 두려워했어요. 김유신 장군 역시 걱정스러웠지요.

바로 그때, 김유신 장군에게 좋은 꾀가 하나 떠올랐어요. 김유신 장군은 불을 붙인 허수아비를 연에 매달아 하늘 높이 띄웠어요. 그 모습은 마치 불덩이가 하늘로 솟아오르는 것 같았지요. 그러고는 소문을 냈어요.

"어제 밤에 떨어진 큰 별이 다시 하늘로 올라갔다!"

소문은 순식간에 퍼져 비담과 염종의 군사들에게 전해졌어요.

"떨어진 별이 다시 하늘 높이 올라가다니……. 이것은 분명히 우리가 싸움에서 질 것이라는 하늘의 뜻이야!"

비담과 염종의 군사들은 급히 달아났고, 용기를 얻은 김유신 장군의 군대는 큰 승리를 거두었답니다.

어휘 뜻

불만 마음에 들지 않아 기분 나쁜 느낌.
소문 사실인지 거짓인지 모르지만 사람들 사이에 널리 퍼진 말이나 소식.

글을 읽고 나서 생각해 보세요.

- 언제 누구에게 일어난 일인가요?
- 김유신 장군이 낸 좋은 꾀는 무엇인가요?
- 김유신 장군의 군대가 싸움에서 큰 승리를 거둔 비결은 무엇인가요?

어휘부터 독해까지 한 번에!

기초 학습 능력 강화

맨처음

초능력 국어 독해 P 단계

예비 초등~1학년

정답 및 풀이

동아출판

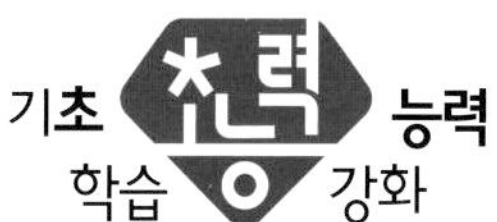

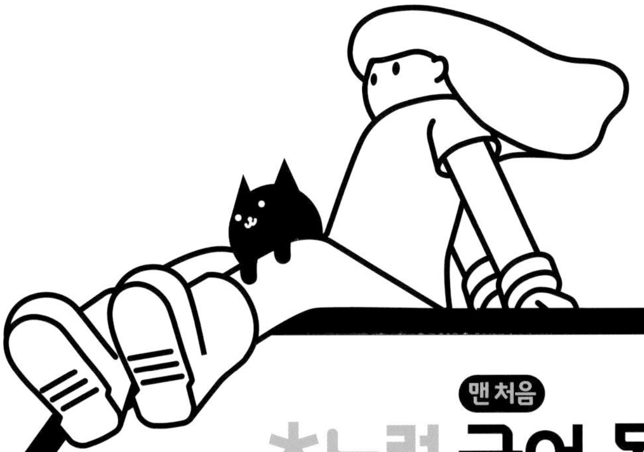

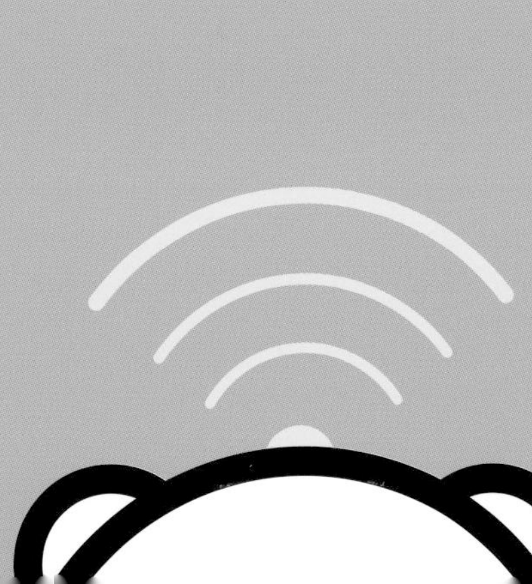

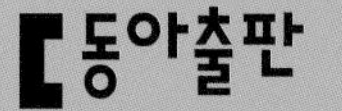

차례

초능력

맨 처음

국어 독해

정답 및 풀이

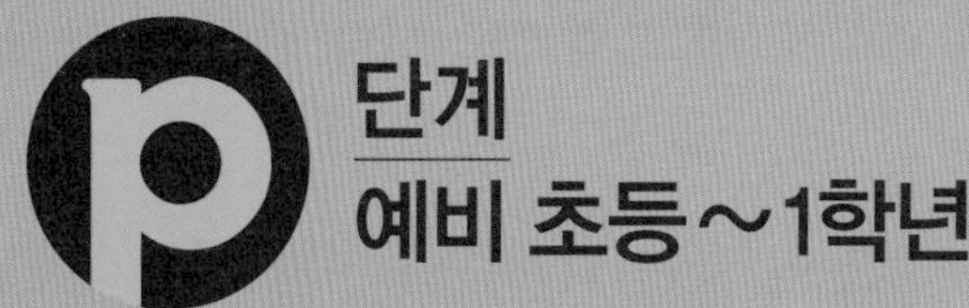

누가 나오는지 찾아요

본문 12~15쪽

1 (1) ㉰ (2) ㉯ (3) ㉱ (4) ㉮
2 (1) 지켜보다 (2) 좋아하다
3 ④
4 (3) ○
5 (1) ○ (3) ○ (5) ○
6 ③
7 ①, ③

1 그림이 나타내는 낱말의 뜻을 바르게 기억합니다.

2 '관심을 가지고 무엇을 보다.'라는 뜻의 낱말은 '지켜보다'이고, '무엇을 좋게 여기거나 마음에 들다.'라는 뜻의 낱말은 '좋아하다'입니다.

| 오답 분석 | (1) 주고받다: 서로 주기도 하고 받기도 하다. (2) 쫓아내다: 누구를 밖으로 나가게 하다.

3 이 글은 박서준이 자기를 소개하는 글입니다.

4 서준이는 자신이 김밥을 좋아한다고 소개했습니다.

| 오답 분석 | (1) '꽃'에 대한 내용은 글에 없음. (2) '수영'은 서준이가 잘하는 것임.

5 엄마 염소와 아기 염소 일곱 마리, 늑대가 나옵니다.

6 엄마 염소는 막내 생일 케이크를 사 오려고 집을 비우게 됐습니다.

7 엄마 염소는 집을 나서기 전에 아기 염소들에게 늑대가 변장을 아주 잘하지만 거친 목소리와 까만 발로 알 수 있다고 말했습니다.

이렇게 지도하세요

서준이의 자기소개

이 글은 서준이가 가족, 잘하는 것과 좋아하는 것, 하고 싶은 말을 차례대로 쓴 소개하는 글입니다.

Q1 소개하는 글을 다 읽고도, '누구'를 소개하고 있는지 아이가 모르겠다고 하니 답답해요. 아이에게 어떻게 알려 줄까요?

A1 소개하는 글을 읽을 때에는 누구에 대한 글인지부터 파악해야 합니다. 자녀에게 누구의 가족이 네 명인지, 누가 수영을 잘하는지, 누가 김밥을 좋아하는지를 반복적으로 확인시켜 주세요. 그런 다음, 아래와 같이 소개하는 사람의 이름을 글에서 찾아 직접 ○표 해 보도록 지도해 주세요.

> 안녕하세요? 저는 박서준입니다.
> 우리 가족은 아빠, 엄마, 누나, 저 이렇게 네 명입니다. → 서준이의 가족
> 저는 수영을 잘합니다. → 서준이가 잘하는 것
> 그리고 김밥을 좋아합니다. → 서준이가 좋아하는 것

늑대와 일곱 마리의 아기 염소

이 글은 엄마 염소, 아기 염소들, 늑대에게 일어난 일을 쓴 세계 명작 동화입니다. 제시된 글 뒤에는 늑대가 아기 염소들을 잡아먹지만, 엄마 염소에게 벌을 받는 내용이 이어집니다.

Q2 이야기에 나오는 동물이 많아서 아이가 어떤 동물이 무엇을 했는지 헷갈려 해요. 동물별로 어떻게 정리하면 좋을까요?

A2 어떤 말이나 행동을 한 사람이나 동물 즉, **인물**을 차례대로 정리하도록 합니다. 이때, 눈으로만 정리하려고 하면 어렵게 느낄 수 있으므로, "이 말은 누가 했지?", "누가 염소네 집을 보고 있지?"와 같이 질문해 주시고, 자녀가 그 질문에 답하도록 이끌어 주시면 좋습니다.

> 숲속 마을, 엄마 염소가 아기 염소 일곱 마리에게 말했어요.
> "엄마는 막내 생일 케이크를 사 올게. 늑대가 올지도 모르니 조심해." → 엄마 염소가 한 말
> "늑대요? 아이고, 무서워!" …… → 아기 염소들이 한 말
> 나쁜 늑대가 몰래 나무 뒤에 숨어서 지켜보고 있었어요. → 나쁜 늑대가 한 행동

언제 어디에서 하는지 찾아요

본문 16~19쪽

1 (1) 초대 (2) 목장 (3) 떼
2 (1) 아침, 점심, 저녁, 밤
(2) 봄, 여름, 가을, 겨울
3 여우, 토끼
4 ③
5 (1) 여름 방학 (2) 양 떼 목장
6 ②
7 ①, ②, ③
8 ③

1 그림과 낱말 뜻을 보고, •보기•에서 알맞은 낱말을 찾아 씁니다.

2 일이 일어난 차례를 나타내는 말 가운데 '아침', '봄'과 같은 말을 가리켜 시간을 나타내는 말이라고 합니다.

3 호랑이는 여우와 토끼를 자기 집에 초대했습니다.

4 때와 곳을 보면 알 수 있습니다.
| 오답 분석 | ① 4월 3일은 호랑이가 글을 쓴 날임. ② 5월 6일 아침 6시가 아닌 저녁 6시에 만나자고 함.

5 지난 여름 방학 때, 양 떼 목장에서 일어난 일입니다.

6 '나'는 부모님과 양 떼 목장에 갔습니다.

7 '나'는 언덕에서 아래로 내려오면서 소, 타조, 양 떼를 보았습니다.

8 '나'는 양에게 마른 풀을 먹일 때 양의 엄마가 된 것 같았습니다.
| 오답 분석 | ① 진짜 동물들을 봤을 때의 기분 ② 바람이 세게 불었을 때의 기분

이렇게 지도하세요

초대합니다

이 글은 호랑이가 여우와 토끼를 5월 6일에 도토리나무 아래에 있는 자기 집으로 초대하는 글입니다.

Q1 호랑이가 초대한 친구들이 누구인지는 금방 찾았는데, '언제 어디에서' 호랑이와 친구들이 만나게 되는지를 찾는 것은 어려워합니다. 쉽게 설명해 주는 방법이 있나요?

A1 생일날에 친구를 초대하는 글을 읽은 경험을 떠올려 보고, 초대하는 글의 특성을 먼저 생각해 보게 해 주세요. 그리고 초대하는 글에 항상 쓰여 있는 '때(시간)'에는 △표, '곳(장소)'에는 □표 해 보도록 지도해 주세요.

여우와 토끼야, 안녕? …… 이번에는 우리 집에 초대할게. 함께 춤추고, 맛있는 음식을 먹자.
때: 5월 6일 저녁 6시 → 언제
곳: 도토리나무 아래 우리 집 → 어디에서
4월 3일, 호랑이가

양 떼 목장에 처음 간 날

이 글은 글쓴이가 부모님과 함께 양 떼 목장에 갔을 때 경험한 일과 그때의 기분을 쓴 생활 글입니다.

Q2 생활 글이나 이야기와 같은 글에는 '때(시간)'와 '곳(장소)'이라는 말이 직접 쓰여 있지 않은데 어떻게 찾게 할까요?

A2 생활 글이나 이야기에서 어떤 일이 일어난 때와 곳을 **배경**이라고 부릅니다. 이 배경은 주로 글의 앞부분에 쓰여 있다는 점을 알려 주시면 자녀가 더 빨리 언제 어디에서의 일인지 찾을 수 있습니다. 그리고 이전 글과 마찬가지로, '언제'에는 △표, '어디에서'에는 □표를 하며 시간적 배경과 공간적 배경을 자연스럽게 구분하는 활동도 함께 해 주세요.

지난 여름 방학 때, 나는 부모님과 양 떼 목장에 갔어요.
(여름 방학 → 언제 / 양 떼 목장 → 어디에서)
우리는 먼저 언덕 위로 갔어요. 바람이 세게 불어 날아오르는 느낌이 들었어요.

일어난 일을 찾아요

본문 20~23쪽

1 (1) ㉯ (2) ㉮ (3) ㉰
2 (1) 밟다 (2) 닭 (3) 괜찮다
3 (1) 에디슨이 (2) 낮에 (3) 창고에서
4 ②, ③
5 준우
6 (1) ○
7 (1) 손 (2) 괜찮아. (3) 준우
8 ③

1 '많다'와 '적다', '넓다'와 '좁다', '비슷하다'와 '다르다'는 뜻이 반대인 낱말입니다.

2 'ㄼ', 'ㄺ', 'ㄶ'과 같은 두 개의 자음자로 만든 받침이 들어간 낱말은 잘못 쓰기 쉬우니 주의합니다.

3 이 글은 에디슨이 낮에 창고에서 한 일을 쓴 것입니다.

4 에디슨은 새의 둥지와 비슷한 것을 만든 다음, 알이 깨어나는지 보려고 직접 알 위에 앉았습니다.

5 수아는 준우와 어린이 공원에 있는 놀이터에 갔습니다.

6 수아는 놀이터에서 그네, 미끄럼틀, 철봉, 정글짐을 탔습니다.

7 수아가 한 일, 준우가 한 일, 수아가 느낀 점을 생각하며 차례대로 답을 씁니다.

8 글의 끝부분에 수아의 기쁜 마음이 직접 드러나 있습니다.
| 오답 분석 | ① 수아가 준우와 다툰 일이 없음. ② 오늘따라 놀이터에 아이들이 없었음.

이렇게 지도하세요

호기심이 많은 아이

이 글은 전기를 발명한 에디슨의 호기심 많던 어린 시절의 일화를 쓴 전기문입니다.

Q1 이야기를 읽고, 중요한 내용을 찾으려면 아이가 무엇을 하게 해야 하나요?

A1 집을 지을 때 벽돌, 나무 등의 재료가 중요하듯 이야기에서는 **'누가(인물)', '언제 어디에서(배경)', '일어난 일(사건)'**이라는 구성 요소가 매우 중요합니다. 따라서 자녀가 이야기의 세 가지 구성 요소를 함께 찾으며 글을 읽고, 중요한 내용을 알게 해 주세요. 이 이야기에서는 에디슨이 낮에 창고에서 한 일이 일어난 일이고, 중요한 내용입니다.

어느 날 낮에 에디슨은 창고에서 새의 둥지와 비슷한 것을 만들었어요. (에디슨이 처음 한 일) 그곳에 거위와 닭의 알을 가득 채웠지요. (에디슨이 두 번째 한 일) 그러고는 알이 깨어나는지 보려고 직접 알 위에 앉아 있었어요. (에디슨이 세 번째 한 일)

수아의 일기

이 글은 수아가 친구 준우와 놀이터에 가서 재미있게 논 일을 차례대로 쓴 일기입니다.

Q2 일기는 아무래도 다른 글보다 글쓴이가 겪은 일을 자세히 쓴 것이니 글 전체가 일어난 일이라고 알려 줘도 될까요?

A2 자녀가 긴 글을 읽고 전체 내용을 한 번에 이해하기는 정말 어렵습니다. 따라서, 부모님께서 최대한 상세히 글을 나누어 설명해 주시는 것이 좋습니다. 특히, 일기는 있었던 일과 그에 대한 생각이나 느낌을 중심으로 쓴 글이므로, 있었던 일(한 일, 본 일, 들은 일)과 생각이나 느낌을 꼭 구분시켜 주세요.

『우리는 먼저 그네를 탔다. 누가 더 높이 올라가는지 시합도 했는데 내가 이겼다. 그리고 미끄럼틀도 재미있게 타고, 철봉에도 매달렸다. 그런데 정글짐에 올라가다가 내가 그만 준우 손을 살짝 밟았다.』 (『 』: 있었던 일(한 일)) 준우가 웃으며 "괜찮아."라고 말해 주었다. (있었던 일(들은 일)) 나는 준우에게 고마웠다. → 생각이나 느낌

일이 일어난 까닭을 찾아요

본문 24~27쪽

1 (1) 풍덩 (2) 살랑살랑 (3) 동동
2 (1) 이 (2) 제 (3) 요 (4) 부
3 ②
4 금덩이, 형님
5 ①, ③
6 ③
7 ②
8 ③

1 '풍덩'은 무겁고 큰 것이 물에 떨어질 때 나는 소리, '살랑살랑'은 바람이 가볍게 부는 모양, '동동'은 매우 춥거나 안타까울 때 발을 자꾸 구르는 모양을 나타냅니다.

2 두 그림이 나타내는 말에 공통으로 들어가는 글자를 빈칸에 씁니다.

3 형제가 금덩이 두 개를 발견해 나누어 가지고 배를 탔습니다.

4 동생은 금덩이가 나쁜 마음이 생기게 해서 강물에 던졌다고 했습니다.

5 할아버지는 빨간색 부채, 파란색 부채를 주워 집으로 돌아왔습니다.

6 할머니는 빨간 부채를 부쳤습니다.
| 오답 분석 | ① 할머니가 부채를 부쳐서 할머니의 코가 오이보다 더 길게 늘어남. ② 할머니가 빨간 부채를 부치자 코가 길어짐.

7 할아버지가 파란 부채를 부치자 할머니 코가 짧아졌습니다.

8 빨간 부채는 코가 길어지게 하고, 파란 부채는 코가 짧아지게 하여 요술 부채라 생각한 것입니다.

이렇게 지도하세요

금덩이를 풍덩! 풍덩!

이 글은 동생이 금덩이를 강물에 버린 일을 통해 형제간의 우애의 중요성을 생각하게 하는 전래 동화입니다.

Q1 아이가 글을 읽고 동생이 금덩이를 버린 일까지는 잘 찾았는데 그 까닭을 물으니 엉뚱한 말을 합니다. 어떻게 알려 줄까요?

A1 글 속에 있는 '왜', '~하기 위해서', '~하기 때문에'와 같은 말을 찾게 해 주세요. 이 글에는 형이 동생에게 금덩이를 왜 버린 것인지 질문하고, 동생이 그 질문에 대답한 말이 나오므로 동생의 말을 보면 일이 일어난 까닭을 바르게 알 수 있습니다.

> 갑자기 동생이 금덩이를 강물에 던졌어요.
> "아니, 동생아! 그 귀한 금덩이를 (왜) 버린 거냐?"
> "저 금덩이가 나쁜 마음이 생기게 했기 때문이에요! 형님의 금덩이가 제 것보다 커 보여서 형님이 미워졌거든요."
> → 동생이 강물에 금덩이를 버린 까닭

빨간 부채 파란 부채

이 글은 요술 부채를 우연히 얻은 할아버지와 할머니에게 일어난 신기한 일을 쓴 전래 동화입니다. 이 글 뒤에 할아버지와 할머니가 요술 부채로 지나치게 욕심을 부리다가 벌을 받는 내용이 이어집니다.

Q2 이야기에서 일어난 일이 한두 개가 아닐 때에는 일이 일어난 까닭을 어떻게 찾는 것이 좋을까요?

A2 일어난 일이 많으면 일이 일어난 까닭도 많아집니다. 이때 앞뒤 상황을 바르게 파악하면 일이 일어난 까닭을 분명히 알 수 있습니다. 자녀가 앞뒤 상황을 바르게 파악하도록 "할머니 코가 왜 길어졌지?", "할머니 코가 왜 짧아졌지?"와 같이 물어봐 주시는 것도 큰 도움이 됩니다.

> 더워서 땀이 난 할머니가 빨간 부채를 살랑살랑 부쳤지. [앞] 일이 일어난 까닭
> 그런데 할머니 코가 점점 길어지는 거야. [뒤] 일어난 일 할머니는 코를 붙잡고 발을 동동 굴렀어.
>
> 할아버지는 깜짝 놀라 손에 든 파란 부채를 부쳤어. [앞] 일이 일어난 까닭
> 그런데 오이보다 더 길게 늘어났던 할머니의 코가 점점 짧아지는 거야. [뒤] 일어난 일

1주

일이 일어난 모습을 찾아요

본문 28~31쪽

1 (1) ㉮ (2) ㉰ (3) ㉱ (4) ㉯
2 (1) 같아요 (2) 빗방울
3 (1) ◯
4 ③
5 빗방울
6 또르르
7 (1) 풀잎 (2) 시냇물
8 한나

1 그림과 뜻을 보면 알맞은 흉내 내는 말을 알 수 있습니다.

2 '같다'는 '무엇과 서로 비슷하다'를 뜻하고, '빗방울'은 '떨어지는 비의 물방울'을 뜻합니다.

3 이 글의 말하는 이는 '나'입니다. 1연에서 아버지 어렸을 땐 자신과 같았다고 했습니다.

4 '내'가 아버지 사진을 보고 생각하는 모습이 가장 어울립니다.
| 오답 분석 | ① 시에 동생에 대한 내용이 없음. ② 시에서 '나'는 아버지에 대한 생각만 하고 있음.

5 말하는 이는 빗방울의 모습을 보고 있습니다.

6 1연에서 '또르르 / 유리창에 맺혔다.'라고 했습니다.

7 2연에서 '대롱대롱 / 풀잎에도 달렸다.', 4연에서 '졸졸졸 / 시냇물이 흐른다.'고 표현했습니다.

8 글 전체의 내용에 어울리게 장면을 떠올려야 합니다. 서윤이와 건우는 시 내용과 관련 없는 말을 했습니다.

이렇게 지도하세요

사진

이 글은 말하는 이(시 속 인물)가 아버지의 어렸을 때 사진을 보고 생각한 것을 노래한 짧은 시입니다.

Q1 아이가 시를 처음 접해 보는데, 지도할 때 주의할 점이 따로 있을까요?

A1 시를 경험하는 것은 국어 독해 학습에서 매우 중요합니다. 노래를 부르거나 놀이를 하듯이 시를 읽고 시가 재미있는 것임을 알게 해 주세요. 특히, 이 시처럼 우리 생활과 밀접한 시를 읽고 말하는 이가 한 일을 찾고, 말하는 이의 마음을 짐작해 보면서 자녀가 시를 더욱 가깝게 느끼게 해 주세요.

아버지 어렸을 땐
나 같았구나. — 아버지의 어렸을 때 사진을 보는 '나'

나도
나이 먹으면
아버지 같을까? — 자신도 나중에 크면 아버지 같을지 궁금해하는 '나'

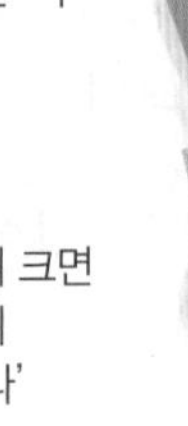

빗방울

이 글은 말하는 이가 빗방울을 보고 노래한 시로, 소리나 모양을 흉내 내는 말이 다양하여 생생한 느낌을 줍니다.

Q2 시의 장면을 구체적으로 떠올려 보는 일이 쉽지만은 않네요. 무엇부터 하게 해야 하나요?

A2 시 내용을 잘 이해해야 일이 일어난 모습인 **장면**을 떠올릴 수 있습니다. 따라서 시를 읽고 말하는 이가 언제 어디에서 무엇을 하는지 파악하고, 시에 사용한 말의 느낌을 떠올려 시의 장면을 구체적으로 상상하게 해 주세요. 이때 장면을 그림으로 그리며 시를 감상하는 것도 좋은 방법입니다.

『또르르 → 빗방울 모양 ①
유리창에 맺혔다.

대롱대롱 → 빗방울 모양 ②
풀잎에도 달렸다.』
『 』: 빗방울이 맺힌 모습을 봄.

『방울방울 → 빗방울 모양 ③
빗방울이 모여서

졸졸졸 → 시냇물 모습
시냇물이 흐른다.』
『 』: 빗방울이 이루는 시냇물을 떠올림.

낱말의 뜻을 알아요

본문 34~37쪽

1 (1) ㉮ (2) ㉰ (3) ㉱ (4) ㉯

2 (1) 손, 발 (2) 겉옷, 치마
(3) 바람, 비 (4) 학교

3 ②

4 (1) 깨끗하게 (2) 날씨

5 119

6 (1) ㉮ (2) ㉯

7 ③

8 (1) 빨리 (2) 밖 (3) 작은

1 그림에 맞는 낱말 뜻을 찾습니다.

2 '몸', '옷', '날씨', '건물'에 포함되는 낱말을 각각 찾아 씁니다.

3 '쌀쌀하다'는 날씨가 매우 차가울 때, '춥다'는 온도가 낮을 때 사용하는 낱말로 뜻이 비슷합니다.
| 오답 분석 | ① '낮', '밤'은 뜻이 반대인 낱말임. ③ '입다', '벗다'는 뜻이 반대인 낱말임. ④ '얇다', '두껍다'는 뜻이 반대인 낱말임.

4 감기에 걸리지 않으려면 몸을 깨끗하게 씻고, 날씨에 어울리는 옷차림을 합니다.

5 불이 나면 119번으로 전화합니다.

6 글의 앞뒤 내용을 보고 '소방차'와 '소화기'의 뜻을 알 수 있습니다.

7 불이 나면 소리 나는 물건을 모두 두들기고, 건물 안에서 밖으로 나가야 합니다.

8 '천천히'와 '빨리', '안'과 '밖', '큰'과 '작은'은 뜻이 반대인 낱말입니다.

이렇게 지도하세요

감기에 걸리지 않으려면

이 글은 감기에 걸리지 않기 위해 몸을 깨끗하게 씻고, 날씨에 어울리는 옷차림을 해야 함을 설명하는 글입니다.

Q1 독해 원리에 왜 낱말의 뜻을 알아보는 것이 포함되나요?

A1 **낱말**이 모여 **문장**이 되고, 문장이 모여 하나의 완성된 **글**이 됩니다. 때문에 낱말의 뜻을 바르게 이해하지 못하면 글도 제대로 이해할 수 없습니다. 따라서 자녀가 낱말의 뜻을 정확하게 알고, 뜻에 따라 낱말이 이루는 관계를 파악하는 연습을 꾸준히 하도록 지도해 주세요.

낮에 덥고 밤에 쌀쌀한 계절이 되면 감기에 걸리기 쉽습니다.

감기에 걸리지 않으려면 몸을 깨끗하게 씻는 것이 중요합니다. 외출했다 집에 돌아오면 ……

그리고 날씨에 어울리는 옷차림을 합니다. 두꺼운 옷만 입기보다는 얇은 겉옷을 가지고 다니며 추울 때 입습니다. 또는 옷을 여러 벌 입었다가 더울 때 벗습니다.

→ ○표: 뜻이 반대인 낱말, △표: 뜻이 비슷한 낱말

불이 나면 이렇게 하세요

이 글은 불이 났을 때 우리가 해야 할 일을 크게 세 가지로 나누어 안내하는 글입니다.

Q2 글에 있는 낱말의 뜻을 전부 설명해 주는 것은 힘든데, 아이가 스스로 낱말 뜻을 알게 하는 좋은 방법이 있나요?

A2 글을 읽다가 처음 보는 낱말을 만나면 자녀가 당황하기 쉽습니다. 이럴 때에는 가장 먼저 그 낱말을 사용한 경험을 떠올려 보게 하여 뜻이 무엇인지 짐작하게 해 주시고, 글 안에서 단서가 되는 부분을 찾게 해 주세요. 그리고 글과 함께 있는 사진이나 그림을 보며 낱말 뜻을 찾아봐 주셔도 됩니다.

→ '소화기' 그림

큰 소방차와 소방관이 도착하기 전에 작은 불씨는 소화기로 끌 수도 있습니다. 따라서 소화기는 항상 가까운 곳에 준비해 두도록 합니다.

'소화기'의 뜻을 아는 단서가 되는 부분

글에서 정보를 찾아요

본문 38~41쪽

1 (1) 줄무늬 (2) 도토리 (3) 횡단보도
2 (1) 서점 (2) 백화점 (3) 경찰서
(4) 우체국 (5) 빵집 (6) 아파트
3 ②
4 (3) ○ / 다람쥐
5 ③
6 ①, ③
7
8 ①

1 '꽃무늬'는 꽃 모양의 무늬이고, '감자'는 껍질이 얇고 연한 갈색의 채소이고, '신호등'은 도로 위에 설치하여 차나 사람이 멈추고 가게 하는 장치입니다.

2 우리 주변에는 다양한 장소를 나타내는 말이 있습니다.

3 '나'는 크기가 작은 동물로 도토리를 먹고, 몸은 갈색입니다.

4 '나'는 다람쥐입니다.

5 하리는 엄마의 심부름으로 오빠와 함께 △△ 가게에 가야 합니다.

6 방향을 가리키는 말을 바르게 알아야 길을 잘 찾아갈 수 있습니다.
| 오답 분석 | ② 아래쪽을 가리키는 그림 ④ 위쪽을 가리키는 그림

7 하리 오빠가 말한 설명에 따라 그림 내용을 이해합니다.

8 하리는 아파트 앞에서 △△ 가게로 가는 동안 총 2번 횡단보도를 건너게 됩니다.

이렇게 지도하세요

나는 무엇일까요?

이 글은 한 동물의 먹이, 크기, 사는 곳, 생김새 등의 여러 가지 특징을 설명하여 쓴 글입니다.

Q1 글의 내용을 꼼꼼히 살펴보면 글 속 '나'를 알 수 있나요?

A1 이 글은 '나'를 알아맞힐 수 있게 '나'의 특징을 설명하는 글입니다. 설명하는 글은 어떤 것에 대해 알기 쉽게 풀어 쓴 글이므로, 설명하는 글을 읽을 때에는 '무엇'에 대해 쓴 것인지 **설명 대상**부터 찾고, 설명하는 내용인 **정보**를 살펴보게 해 주세요. 이 글은 정보를 모두 만족시키는 것이 답이 됩니다.

- 나는 도토리를 먹습니다. → '나'의 먹이 (설명 대상: 나)
- 나는 크기가 작은 동물입니다. → '나'의 크기
- 나는 산에 살고, 나무를 잘 탑니다. → '내'가 사는 곳, 특기
- 나의 몸은 갈색이고, 검은색 줄무늬가 있습니다. → '나'의 생김새
- "산골짝에 ○○○, 아기 ○○○~"라는 동요도 있습니다. → '나'와 관련 있는 동요

어디로 가야 할까요?

이 글은 하리가 엄마의 심부름으로 △△ 가게에 가기 위해 오빠의 설명을 듣는 내용의 대화 글입니다.

Q2 평소에도 한꺼번에 여러 가지 설명을 알아듣기 어려워하는데, 글을 읽고 알아야 하니 더 어려워하네요.

A2 이 글에서 오빠가 한 말은 △△ 가게에 대해 정보를 전달하는 목적이 잘 드러나 있습니다. 따라서 오빠가 한 말에 따라 문제 7번의 그림을 보며 차례대로 따라가 보면, △△ 가게의 위치를 정확하게 알아낼 수 있습니다.

『우리는 지금 아파트(중요 장소 ①) 앞에 서 있잖아. 먼저 서점(중요 장소 ②)이 있는 쪽으로 횡단보도를 건너. 서점 옆에 꽃집(중요 장소 ③)이 있지? 그 꽃집을 끼고 왼쪽으로 돌아가면 다시 횡단보도가 나와. 그 횡단보도를 건너면 경찰서(중요 장소 ④)가 보여. 경찰서의 바로 왼쪽에 있는 파란색 건물』이 우리가 가야 할 △△ 가게(설명 대상)야.

『 』: 설명하는 내용(정보)

글의 내용이 맞는지 확인해요

본문 42~45쪽

1 (1) 무덥다 (2) 보호하다 (3) 중요하다
2 (1) 덮다 (2) 무릎
3 (1) 한여름 (2) 땀샘 (3) 시원하다
4 (1) × (2) ○ (3) ○ (4) ×
5 뼈
6 ㉯, ㉱
7 허파
8 리안

1 '덥다'와 '무덥다', '지켜주다'와 '보호하다', '소중하다'와 '중요하다'는 뜻이 비슷한 낱말입니다.

2 받침 'ㅍ'을 'ㅂ'으로 잘못 쓰기 쉬우니 주의합니다.

3 글의 앞뒤 내용을 살펴보면 각 낱말의 뜻을 알 수 있습니다.

4 강아지는 땀샘이 몸에 거의 없고, 한여름에 혀를 입 밖으로 내밀어 몸을 시원하게 만듭니다.

| 오답 분석 | (1) 강아지는 온몸이 털로 덮여 있어도 땀을 흘리지 않음. (4) 무더운 날씨가 되면 사람 몸에 땀이 줄줄 흐름.

5 이 글은 뼈가 하는 일을 설명하여 쓴 글입니다.

6 글에서 코와 귀에 물렁물렁한 뼈도 있다고 했습니다.

7 뼈는 뇌, 내장, 심장, 허파와 같이 몸속의 중요한 곳을 보호합니다.

8 뼈는 무릎, 팔꿈치, 코, 귀 등 우리 몸의 곳곳에 있고, 뼈가 하는 일은 여러 가지입니다.

이렇게 지도하세요

강아지가 땀을 흘리지 않는 이유

이 글은 강아지의 몸에 땀샘이 거의 없어서 강아지가 땀을 흘리지 않는 점을 설명하여 쓴 글입니다.

Q1 '이 글의 내용으로 알맞은 것은 무엇인가요?'와 같은 문제를 자주 보게 됩니다. 아이가 글의 내용을 다 기억하지 못해서 헷갈려 하는데, 어떻게 지도해야 할까요?

A1 사실 어른도 글을 한 번 읽고, 글의 내용을 모두 기억하는 것은 어려운 일입니다. 자녀가 글의 내용이 맞는지 묻는 문제를 풀 때에는, 글의 모든 내용을 억지로 떠올리게 하지 마세요. 대신에 아래와 같이 문제의 보기와 글에 있는 문장을 하나씩 비교해 보고, 맞고 틀린지 알아보게 해 주시는 것이 좋습니다.

무더운 날씨가 되면 사람 몸에는 땀이 줄줄 흘러요. 그런
문제 4번 (4) 추운 날씨가 되면 사람 몸에 땀이 줄줄 흐릅니다. → ×
데 온몸이 털로 덮여 있는 강아지는 땀을 흘리지 않아요. ……
문제 4번 (1) 강아지는 항상 땀을 많이 흘립니다. → ×
강아지는 땀을 만들어 몸 밖으로 내보내는 '땀샘'이 몸에
문제 4번 (2) 강아지는 땀샘이 몸에 거의 없습니다. → ○
거의 없어요. 그래서 한여름에 강아지는 땀을 흘리는 대신 혀를 입 밖으로 내민답니다.
문제 4번 (3) 강아지는 한여름에 혀를 입 밖으로 내밉니다. → ○

뼈가 하는 일

이 글은 우리 몸에서 뼈가 하는 일을 크게 세 가지로 나누어 자세히 설명하여 쓴 글입니다.

Q2 글의 내용을 파악하는 문제를 풀 때 주의할 점은 무엇인가요?

A2 글을 읽고 **내용 파악하기 활동**은 독해의 가장 기본입니다. 그런데 내용 파악하기 활동을 할 때, 글을 빨리 읽는 것에만 집중하여 문장의 일부를 반대 의미로 받아들여 틀린 답을 고르기가 쉽습니다. 자녀가 문장의 의미를 제대로 받아들이려면 꼼꼼히 읽고, 무엇을 어떻게 설명하는지를 알아야 합니다.

우리가 무릎이나 팔꿈치를 살살 문질러 보면 단단한 것이
문제 8번 규민: 뼈는 우리 몸에 없어요. → ×
만져지지요. 이것이 바로 뼈예요. ……
뼈는 우리 몸의 기둥 역할을 해요. 뼈가 있어서 우리는 똑바로 설 수도 있고, 움직일 수도 있으며 몸의 모양을 만들
문제 8번 리안: 뼈가 있어서 우리는 똑바로 설 수 있어요. → ○
수도 있기 때문이에요.
뼈는 우리 몸속의 중요한 곳을 보호하기도 해요.
문제 8번 서현: 뼈가 하는 일은 딱 하나예요. → ×

2주

글쓴이의 생각을 찾아요

본문 46~49쪽

1 (1) ㉮ 벌리다 ㉯ 버리다
(2) ㉮ 반듯이 ㉯ 반드시
(3) ㉮ 느리다 ㉯ 늘이다
(4) ㉮ 걸음 ㉯ 거름
2 (1) 강예솔 (2) 훌륭한 어린이
3 (2)에 색칠
4 ①, ③
5 (1) ㉮ (2) ㉯
6 ③
7 ④

1 비슷한 소리가 나서 헷갈리기 쉬운 낱말의 뜻을 잘 구분해야 합니다.

2 사랑반 강예솔이 훌륭한 어린이상을 받았습니다.

3 서진이는 매일 교실 화분에 물을 빠뜨리지 않고 주는 예솔이를 칭찬하고 싶다고 생각했습니다.
| 오답 분석 | (1) 예솔이가 매일 교실 화분에 물을 주는 행동을 칭찬했으므로 서진이의 생각이 아님.

4 글쓴이는 할아버지와 마을 뒷산에 갔다가 쓰레기를 주웠습니다.

5 ㉮는 글쓴이가 할아버지의 말씀을 들은 것이고, ㉯는 글쓴이가 생각한 것입니다.

6 글쓴이는 뒷산에서 쓰레기가 많이 있는 모습을 보았습니다.

7 글쓴이는 쓰레기를 반드시 쓰레기통에 버려야겠다고 생각했습니다.
| 오답 분석 | ①~③ 글에 드러나 있지 않은 내용임.

이렇게 지도하세요

훌륭한 어린이상

이 글은 매일 교실 화분에 물을 준 친구를 칭찬하여 쓴 상장입니다.

Q1 아이에게 '글쓴이의 생각'은 무엇이라고 설명해야 할까요?

A1 글에는 보통 **글쓴이가 읽는 사람에게 전하는 생각**이 들어 있습니다. 글쓴이의 생각은 글에 사용한 낱말이나 문장을 보면 알 수 있습니다. 이 상장에서는 글쓴이가 왜 친구를 칭찬하는지를 나타낸 문장이 글쓴이의 생각을 나타낸 부분입니다.

상장

훌륭한 어린이상 사랑반 강예솔

위 어린이는 매일 교실 화분에 물을 빠뜨리지 않고 주기 때문에 이 상장을 주어 칭찬합니다. (칭찬하는 까닭 → 글쓴이의 생각)

7월 6일

멋진 친구 이서진 → 글쓴이 이름

쓰레기는 쓰레기통에

이 글은 글쓴이가 뒷산의 쓰레기를 주운 일을 쓴 것으로, 쓰레기를 쓰레기통에 버려야겠다는 생각이 드러난 생활 글입니다.

Q2 생활 글에는 글쓴이가 경험한 사실과 글쓴이의 생각이 함께 쓰여 있는데, 어떻게 쉽게 구분할 수 있나요?

A2 **사실**은 실제로 있었던 일 또는 현재에 있는 일을 말하고, **생각**은 말 그대로 사실에 대해 글쓴이가 가지는 의견을 말합니다. 대부분 사실은 '~은 ~입니다.', '~을 했습니다.'와 같이 쓰고, 생각은 작은따옴표를 사용하여 직접 쓰거나 '~라고 생각합니다.', '~해야 합니다.'와 같이 씁니다. 아래와 같이 자녀에게 사실과 생각을 나누어 표시하는 연습을 시켜 주세요.

할아버지와 나는 쓰레기들을 주워서 운동 기구 옆에 있는 쓰레기통에 버렸습니다.(사실 ①) 뒷산은 금방 깨끗해졌습니다.(사실 ②)
'함부로 버리지 않았다면 일부러 치우지 않아도 되는데…….' 생각 ①
나는 쓰레기를 반드시 쓰레기통에 버려야겠다고 생각했습니다. 생각 ②

인물의 마음을 알아요

본문 50~53쪽

1 (1) 참외 (2) 부엌 (3) 블록
(4) 앉다 (5) 없다 (6) 쌓다
2 (1) 엉엉 (2) 꽝 (3) 뚝
3 ③
4 ②
5 (2) ○
6 ②
7 ③
8 (1) ㉮ (2) ㉯

1 그림이 뜻하는 낱말을 정확하게 씁니다. 특히 받침이 어렵거나 이중모음이 들어간 낱말을 쓸 때 주의합니다.

2 우는 소리를 흉내 내는 말은 '엉엉', 부딪히는 소리를 흉내 내는 말은 '꽝', 연필심이 부러진 소리를 흉내 내는 말은 '뚝'입니다.

3 새빨간 수박은 시원해 좋다고 했습니다.
| 오답 분석 | ① 참외: 달아서 좋음. ② 사과: 시에서 말하지 않음. ④ 복숭아: 시에서 말하지 않음.

4 이 시는 아이들이 맛있는 과일을 좋아하는 마음을 노래한 시입니다.

5 웅이가 나타나 기찻길을 부러뜨려서 솔이는 화가 났습니다.

6 솔이가 화를 내자 웅이는 울면서 엄마를 찾으러 갔습니다.

7 솔이는 웅이가 사라진 뒤 한참이 지나도 나타나지 않자 겁이 났습니다.

8 처음에 솔이는 화가 났지만 웅이를 다시 만나고는 미안했습니다.

이렇게 지도하세요

과일 이야기

이 글은 말하는 이가 앵두, 자두, 참외, 수박을 좋아하는 마음을 노래한 시입니다.

Q1 시를 읽고 인물의 마음을 상상하는 방법에는 무엇이 있을까요?

A1 글 속 상황에 따라 인물이 느끼는 기분을 **인물의 마음**이라고 합니다. 이 시처럼 인물의 마음을 직접적인 표현을 사용해 드러내기도 하고, 인물의 행동으로 표현하기도 하지요. 이때 시의 내용과 비슷한 자녀의 경험을 떠올려 보게 하고, 시 속 인물의 표정을 직접 그려 보게 하면 인물의 마음을 상상하는 데 도움이 될 것입니다.

앵두는 작아도 귀여워 좋고
자두는 자줏빛 진해서 좋고
노오란 참외는 달아서 좋고
새빨간 수박은 시원해 좋지.

→ 여러 가지 과일을 좋아하는 마음을 직접적으로 표현함.

개구쟁이 내 동생

이 글은 개구쟁이 동생 웅이에게 화를 낸 솔이가 웅이를 한참 만에 찾고는 미안해한 일을 쓴 창작 동화로, 솔이의 마음 변화가 잘 드러나 있습니다.

Q2 이야기를 읽고 인물의 마음을 짐작하는 방법에는 무엇이 있을까요?

A2 이야기 속 인물의 마음을 짐작하려면 가장 먼저 글 속 상황이 어떤 상황인지 살펴야 합니다. 그리고 인물의 마음이 직접 드러나는 표현을 찾아보거나 글과 함께 있는 그림에 나타난 인물의 표정이나 모습을 살펴볼 수도 있습니다.

웅이가 나타나 꽝! 기찻길을 뚝 부러뜨렸어요.(솔이가 처한 상황 ①) 솔이는 화가 났어요.(→ 솔이의 마음) ……
한참을 앉아 놀아도 웅이가 나타나지 않아요.(솔이가 처한 상황 ②) 솔이는 겁이 났어요.(→ 솔이의 마음) 방에도 거실에도 부엌에도 웅이는 없었어요.
커튼 뒤로 웅이의 곰 놀잇감이 보여요.(솔이가 처한 상황 ③)
"휴우, 정말 엄마 배 속으로 들어간 줄 알았잖아. 미안해(→ 솔이의 마음), 웅이야."

2주

제목을 찾아요

본문 56~59쪽

1 (1) 설날 (2) 가마솥 (3) 백성
(4) 한숨 (5) 설렁탕 (6) 거문고
2 ㉰
3 ④
4 ③
5 ③
6 ①
7 백결 선생

1 그림이 나타내는 낱말의 뜻을 바르게 익히고, •보기•에서 낱말을 찾아 바른 모양으로 씁니다.

2 옛날 선농단에서 먹던 음식이 오늘날 설렁탕이 되었습니다.

| 오답 분석 | ㉮ 옛날 우리나라에서는 봄이 되면 선농단에 사람들이 모였음. ㉯ 선농탕은 소의 뼈와 고기 등을 넣고 국을 끓인 것임.

3 글의 내용을 대표하는 제목을 생각해야 하므로, 빈칸에 '설렁탕'이 들어가야 합니다.

4 사람들은 백결 선생의 옷에 꿰맨 곳이 백 군데여서 '백결 선생'이라고 불렀습니다.

5 신라에 살았던 백결 선생은 거문고를 연주했습니다.

6 설날이 다가오자 마을 사람들은 떡을 만들었고, 백결 선생은 거문고로 방아 찧는 소리를 냈습니다.

7 이 글은 백결 선생에 대한 전기문이므로, 제목은 "거문고를 사랑한 백결 선생"이 알맞습니다.

이렇게 지도하세요

선농단에서 생긴

이 글은 옛날 우리나라에서 선농단이라는 곳에 모인 사람들이 끓여 먹은 국에서 설렁탕이 유래하였다는 이야기입니다.

Q1 글 제목은 글의 내용과 반드시 관련이 있어야 하나요?

A1 그렇습니다. 글의 **제목**은 글의 내용을 대표하는 이름으로 붙여야 하기 때문입니다. 따라서 글 제목은 보통 글에서 일어난 중요한 일을 간단히 줄여 나타냅니다. 이 글은 선농단에서 먹던 음식이 '설렁탕'이 된 과정을 쓴 이야기이므로, 이 일을 줄여 제목으로 붙이면 됩니다.

가마솥에는 음식이 부글부글 끓었어요. 제사를 지낸 소의 뼈와 고기 등을 넣고 국을 끓인 것이에요. 국이 다 끓으면 사람들은 국물에 밥을 말아 나누어 먹었어요. 선농단에서 먹던 이 음식은 '선농탕'이라 불리다가 오늘날 '설렁탕'이 되었어요.

→ 어울리는 제목: "선농단에서 생긴 설렁탕"

거문고를 사랑한

이 글은 신라에 살았던 백결 선생이 거문고로 방아타령을 만든 일화를 쓴 전기문입니다.

Q2 아이에게 글의 제목을 붙이는 방법을 한 가지 더 알려 주고 싶습니다.

A2 특정한 사람이나 물건에 대해 쓴 글은 그 사람이나 물건의 이름을 제목으로 붙일 수도 있습니다. 한 사람의 일생 동안의 행적을 적은 기록인 전기문의 경우, 대부분 글에서 소개한 사람의 이름이 드러나게 제목을 붙이는 것이지요. 이 글도 같은 맥락에서 생각하면 쉽게 제목을 찾을 수 있답니다.

신라에 백결 선생이 살았어요. 사람들은 백결 선생의 옷에 꿰맨 곳이 백 군데여서 '백결 선생'이라고 불렀어요. 이렇게 가난했지만 백결 선생은 그 누구도 부럽지 않았어요. 거문고가 있었기 때문이지요. ……

백결 선생이라고 불린 까닭

백결 선생이 좋아한 것

"부인, 너무 속상해하지 마시오. 대신 내 거문고 소리 한 번 들어 보겠소? 방아 찧는 소리라오."

→ 어울리는 제목: "거문고를 사랑한 백결 선생"

가장 중요한 낱말을 찾아요

본문 60~63쪽

1 (1) 방귀 (2) 밖 (3) 붙여
(4) 껍질 (5) 소화 (6) 꺾고
2 ②
3 (1) 2 (2) 1 (3) 1 (4) 5 / 방귀
4 ③
5 ①
6 ④
7 식물 이름

1 맞춤법에 맞는 낱말을 사용하여 그림에 맞게 문장을 완성합니다.

2 방귀를 오래 참으면 병이 될 수 있으니 너무 참지 말라고 했습니다.

3 제목과 글에서 각 낱말이 나오는 횟수를 세어야 합니다. 이 글에서는 가장 많이 나온 '방귀'가 가장 중요한 낱말입니다.

4 이 글은 자작나무, 생강나무, 국수나무, 애기똥풀의 이름이 지어진 까닭을 설명하여 쓴 글입니다.
| 오답 분석 | ① 동물에 대해 설명한 부분이 없음. ② 꽃을 피우는 나무에 대한 설명은 생강나무만 해당함.

5 자작나무는 나무껍질이 유난히 하얘서 별명이 귀족나무입니다.

6 애기똥풀은 줄기에 상처를 내면 노란 물이 나오는데, 그것이 아기의 똥과 같다고 해서 지어진 이름입니다.

7 이 글에서 설명한 자작나무, 생강나무, 국수나무, 애기똥풀은 재미있는 식물 이름이라는 공통점을 가지고 있습니다.

이렇게 지도하세요

방귀는 어떻게 나올까요?

이 글은 음식을 먹을 때 공기가 배 속으로 들어와 방귀가 되어 나오는 과정을 설명하는 글입니다.

Q1 글은 수많은 낱말로 이루어지는데, 아이가 그 중에서 가장 중요한 낱말을 쉽게 찾아낼 수 있을까요?

A1 중심 낱말을 찾으며 글을 읽으면 글의 내용을 잘 이해할 수 있습니다. **중심 낱말**은 글을 대표하는 낱말로, 글에서 가장 중요한 낱말입니다. 중심 낱말을 찾으려면 무엇에 대해 쓴 글인지부터 살펴보고, 글에 여러 번 나온 낱말을 찾아보게 해 주세요.

→ 가장 중요한 낱말

방귀는 어떻게 나올까요?

공기는 음식과 함께 몸 안을 여행합니다. 그러고는 냄새를 내며 몸 밖으로 나오게 됩니다. (방귀가 나오는 과정) 이것이 방귀랍니다.

모든 동물은 방귀를 뀌고, 우리도 보통 하루에 열 번도 넘게 방귀를 뀝니다. 방귀를 오래 참으면 병이 될 수도 있으니 너무 참지 마세요.

→ ○표: '방귀'를 반복해서 사용

재미있는 식물 이름

이 글은 우리 주변에서 볼 수 있는 재미있는 이름을 가진 식물에 대해 예를 들어 설명한 글입니다.

Q2 설명하는 글에서 가장 중요한 낱말을 찾기 위해 꼭 해야 할 일은 무엇인가요?

A2 글의 제목이 무엇인지 꼭 보게 해 주세요. 1일에서 말씀드렸듯, 글 제목은 글의 내용을 대표하기 때문에 글의 중심 낱말과 직결되어 있습니다. 이 글 역시 제목처럼 자작나무, 생강나무, 국수나무, 애기똥풀은 모두 재미있는 식물 이름입니다.

재미있는 식물 이름 → 가장 중요한 낱말

우리 주변에는 재미있는 이름을 가진 식물이 많이 있어요. …… (설명하는 내용)

→ 재미있는 식물 이름의 예

1 자작나무: 불에 탈 때 자작자작 하는 소리가 나서 ……
2 생강나무: …… 줄기를 꺾으면 생강 냄새가 나서 ……
3 국수나무: …… 줄기가 하얀 국수 가락과 비슷해서 ……
4 애기똥풀: …… 노란 물이 나오는데, 그것이 아기의 똥 ……

3주

주제를 찾아요

본문 64~67쪽

1 (1) 한겨울 (2) 나그네 (3) 산딸기
2 (1) 꽁꽁 (2) 콜록콜록 (3) 또박또박
3 (2) ○
4 ②
5 ④
6 산딸기
7 ③
8 '이방의 아들처럼 지혜롭게 문제를 해결해야 합니다.'에 색칠

1 추위가 한창인 겨울은 '한겨울', 집을 떠나 여행 중에 있는 사람은 '나그네', 붉은 빛깔의 작고 동그란 열매는 '산딸기'입니다.

2 그림과 문장에 알맞은 흉내 내는 말을 찾습니다.

3 맹인의 말에서 맹인이 등불을 든 까닭을 알 수 있습니다.

4 다른 사람을 배려하는 맹인을 통해 글쓴이의 생각을 전하고 있습니다.

5 얼음이 꽁꽁 언 한겨울의 일입니다.

6 심술쟁이 원님은 이방에게 지금 당장 산딸기를 구해 오지 않으면 벌을 주겠다고 했습니다.

7 이방의 아들이 원님을 찾아가 문제를 해결했습니다.
| 오답 분석 | ① 이방이 산에 갔지만 뱀에 물린 것은 아님. ② 이방의 아들이 원님을 찾아가 산딸기를 구할 수 없다고 말함.

8 이 글은 지혜롭게 문제를 해결해야 한다는 생각을 전하고 있습니다.

이렇게 지도하세요

등불을 든 맹인

이 글은 등불을 든 맹인의 모습을 통해 '다른 사람을 배려하자.'라는 주제를 잘 드러내는 세계 명작 동화입니다.

Q1 글을 읽을 때 주제를 꼭 찾을 수 있어야 한다고 하던데, 주제가 정확하게 무엇인가요?

A1 **주제**는 글쓴이가 글을 통해 전하는 생각입니다. 즉, 글에서 가장 중요한 생각이 주제입니다. 자녀가 글을 읽을 때 주제를 생각하면 작품을 더 깊이 있게 이해할 수 있습니다. 이 글에는 맹인이 한 말에 주제가 직접 나타나 있습니다.

"당신은 눈도 보이지 않는데, 왜 등불을 들고 다니는 거지요?"
"등불이 있어야 사람들이 맹인인 나와 부딪치지 않고 길을 갈 수 있지요. 이 등불은 나를 위한 것이 아니라 다른 사람을 위한 것입니다."
→ 글의 주제: 다른 사람을 생각하며 살아야 합니다.

심술쟁이 원님

이 글은 이방의 지혜로운 아들이 한겨울에 산딸기를 구해 오게 한 일이 잘못이라는 것을 알리는 내용의 전래 동화입니다.

Q2 이 글과 같이 주제가 글 속에 숨어 있을 때에는 어떻게 찾게 해야 할까요?

A2 아래와 같이 인물이 한 말에 담긴 진짜 뜻을 찾아보게 해 주세요. 또, 주로 주제가 잘 드러나는 글의 끝부분을 주의 깊게 살펴보게 해 주세요. 그래도 찾지 못한다면 자녀에게 "글쓴이가 이 글을 통해 너에게 말하고 싶은 것은 무엇일까?"와 같이 질문해 주시는 것도 좋은 방법입니다.

"네, 이놈! 거짓말을 하는구나! 겨울에 뱀이 어디 있단 말이냐?"
→ 이방의 아들이 한 말에 담긴 진짜 뜻: "한겨울에 산딸기를 구할 수 없으니 억지 쓰지 마세요."
원님이 화를 내자, 이방의 아들은 또박또박 말했습니다.
"원님, 한겨울에 뱀이 없듯이 산딸기도 찾을 수 없습니다."
원님은 자신의 잘못을 깨닫고 얼굴이 빨개졌어요.

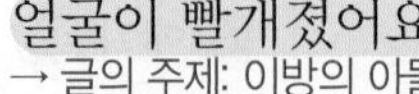

→ 글의 주제: 이방의 아들처럼 지혜롭게 문제를 해결해야 합니다.

교훈을 찾아요

본문 68~71쪽

1 (1) 식구 (2) 가르침
(3) 강아지 (4) 말썽
2 (1) ㉯ (2) ㉮ (3) ㉰
3 ③
4 (1)에 색칠
5 (1) 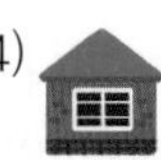 (2) (3) (4)
6 ③
7 말썽이 생겼을 때 자기 잘못이 있는지 부터 생각해야 합니다.

1 '가족'과 '식구', '교훈'과 '가르침', '개'와 '강아지', '문젯거리'와 '말썽'이 뜻이 비슷한 낱말입니다.

2 그림을 참고하여 뜻이 반대인 낱말을 찾을 수 있습니다.

3 욕심을 부리다가 가지고 있던 뼈다귀를 놓쳤을 때, 검둥개는 후회하는 마음이 들었을 것입니다.

4 검둥개가 한 일을 통해 교훈을 찾을 수 있습니다.
| 오답 분석 | (2) 친구와 다툰 내용이 없으니 교훈으로 알맞지 않음. (3) 고양이가 아닌 검둥개에 대한 글이므로 교훈으로 알맞지 않음.

5 초록 지붕 집은 조용하고 행복하게 지냈고, 노랑 지붕 집은 시끄럽고 말썽이 많았습니다.

6 초록 지붕 집은 말썽이 생겼을 때 서로 자기 잘못이라고 합니다.

7 초록 지붕 집이 한 일에 맞게 선으로 잇습니다.

이렇게 지도하세요

욕심쟁이 검둥개

이 글은 시냇물에 비친 검둥개의 모습이 자신의 모습인지도 모르고 욕심을 부리다가 가지고 있던 뼈다귀마저 잃은 검둥개의 이야기를 담은 세계 명작 동화입니다.

Q1 이솝 우화를 읽을 때 교훈을 찾는 문제를 꼭 풀게 되는 것 같습니다. 왜 그런가요?

A1 **우화**는 동물이나 식물을 사람처럼 등장시킨 이야기로, 소설처럼 이야기가 자세하거나 길지 않습니다. 그래서, 우화는 내용을 간단하게 전하지만, 꼭 교훈을 하나씩 줍니다. 따라서 자녀가 우화를 읽고, 인물의 어리석은 행동에 재미만 느낄 것이 아니라 이야기가 주는 가르침까지 확장해 생각하게 해 주세요.

물속 검둥개의 뼈다귀가 더 크고 맛있어 보였지요. 검둥개는 욕심이 생겼어요.
"저 뼈다귀를 빼앗아 먹어야겠다. 왕!"
검둥개가 욕심을 부리는 마음
그 순간 검둥개의 뼈다귀가 시냇물에 빠져 둥둥 떠내려갔어요.
→ 교훈: 지나치게 욕심을 부리지 맙시다.

행복한 집

이 글은 초록 지붕 집이 식구가 많은데도 조용하고 행복하게 지낸 비결을 통해 교훈을 주는 창작 동화입니다.

Q2 이야기를 읽고, 교훈을 쉽게 찾으려면 어떻게 해야 할까요?

A2 **교훈**은 앞으로의 행동이나 생활에 지침이 될 만한 가르침을 뜻하는 말입니다. 쉽게 말해 글쓴이가 우리에게 주는 가르침이 교훈입니다. 교훈을 쉽게 찾으려면 자녀에게 글을 다 읽고, '앞으로는 이렇게 살지 말아야지.' 또는 '앞으로는 이렇게 살아야지.' 하고 생각하게 되는 것이라 알려 주시면 됩니다.

"우리 집은 못난 사람만 모여 살아서 조용해요. 누가 컵을 깨뜨렸을 때 깨뜨린 사람이 자기 잘못이라고 해요. 그러면 다른 사람이 '아니야, 내가 컵을 그곳에 두지 말았어야 했는데…….' 합니다."
'앞으로는 이렇게 살아야지.' 하고 생각하게 되는 것
"아, 우리는 그 반대였네요. 자기 잘못이 없다고 상대방만 탓했거든요."
'앞으로는 이렇게 살지 말아야지.' 하고 생각하게 되는 것
→ 교훈: 말썽이 생겼을 때 자신의 잘못부터 돌아봅시다.

3주

글을 쓴 목적을 찾아요

본문 72~75쪽

1 (1) ㉮ 가리다 ㉯ 가르다
(2) ㉮ 주위 ㉯ 주의
(3) ㉮ 잊었다 ㉯ 잃었다
(4) ㉮ 건너다 ㉯ 건네다
2 (1) 어린이들 (2) 비 오는 날
3 (3) ○
4 ②
5 (1) 20○○년 8월 10일
(2) 아파트 놀이터
6 ㉱ 외할머니가 만들어 주신 것입니다.
7 ④

1 표기가 비슷하여 헷갈리기 쉬운 낱말은 뜻을 정확하게 알고 씁니다.

2 글쓴이는 어린이들에게 비 오는 날 길을 건널 때에 조심하자고 말하려고 이 글을 썼습니다.

3 비 올 때, 밝은색 옷을 입습니다.
| 오답 분석 | (1) 비가 오면 자동차의 운전자가 앞이 잘 보이지 않으므로 장난하지 않고 조심해야 함. (2) 우산은 앞을 가리지 않게 들어야 함.

4 글쓴이는 잃어버린 자신의 가방을 찾고 싶어서 글을 썼습니다.

5 글의 앞부분에서 가방을 잃어버린 때와 곳을 찾아 씁니다.

6 글쓴이가 찾는 가방은 외할머니가 만들어 주신 것입니다.

7 글 내용에 맞게 가방을 찾습니다.
| 오답 분석 | ① 지퍼가 없어야 함. ② 긴 끈이 한 개여야 함. ③ 물방울 무늬가 있어야 함.

이렇게 지도하세요

학급 신문에 낸 글

이 글은 글쓴이가 어린이들에게 비 오는 날에 길을 건널 때 조심하자고 말하려고 학급 신문에 낸 글입니다.

Q1 주장하는 글을 잘 이해시키려면 해야 할 일을 알려 주세요.

A1 글을 잘 이해하기 위해서는 글의 중심 내용뿐만 아니라 글쓴이가 글을 쓴 **목적**을 파악하며 읽어야 합니다. 글쓴이가 글을 쓴 목적을 파악하려면 무엇에 대해 쓴 글인지 파악하고, 글쓴이의 관점을 파악해야 합니다. 이때 글쓴이의 관점이란 글쓴이가 사물이나 현상을 바라보는 시각이나 생각, 태도를 말합니다.

→ 글을 읽을 사람
어린이 여러분! 비 오는 날에 길을 건널 때에는 조심합시다. 비가 오면 자동차의 운전자가 앞이 잘 보이지 않기 때문입니다.
글쓴이의 관점이 직접적으로 드러난 부분

가방을 찾습니다

이 글은 글쓴이가 아파트 놀이터에서 잃어버린 가방을 찾고 싶어 쓴 글입니다.

Q2 아파트 엘리베이터나 학교에서 흔히 볼 수 있는 글인데도, 아이가 글쓴이가 글을 쓴 목적을 금방 알아채지 못해 답답합니다. 글쓴이가 글을 쓴 목적을 쉽게 알려 줄 방법이 있을까요?

A2 자녀에게 '목적'이라는 말 자체가 어렵기 때문에 바른 답을 고르지 못할 수 있습니다. '목적'이라는 말 대신에 글쓴이가 글을 쓴 '까닭'을 찾아보게 하시면 자녀가 이해하기 수월할 것입니다. 또, 글쓴이가 하고 싶은 말을 파악하면 글을 쓴 목적을 파악할 수 있다는 점도 함께 가르쳐 주세요.

가방을 찾습니다 → 글쓴이가 글을 쓴 까닭

- **잃어버린 때**: 20○○년 8월 10일
- **잃어버린 곳**: 아파트 놀이터
- **가방의 특징**:
  ① 크기가 작고, 분홍색입니다. ……

→ 주요 내용

- **하고 싶은 말**: 외할머니가 만들어 주신 소중한 가방입니다. 이 가방을 보신 분은 010-△△△△-☆☆☆☆로 전화 주세요.

글쓴이가 글을 쓴 목적

가장 중요한 문장을 찾아요

본문 78~81쪽

1 (1) 나릅니다 (2) 없어요
(3) 세계 (4) 만들어요
2 (1) 비빔밥, 피자
(2) 소방차, 구급차
(3) 독일, 이탈리아
3 (1) ㉰ (2) ㉯ (3) ㉮
4 (1) ○
5 ④
6 햄버거
7 (1) ㉰ (2) ㉮ (3) ㉯
8 (1) ○

1 '나릅니다', '없어요', '세계', '만들어요'는 발음하는 대로 쓰기 쉬운 낱말이므로 주의하여 사용합니다.

2 낱말은 다른 낱말을 포함하는 낱말과 다른 낱말에 포함되는 낱말이 있습니다.

3 글에 견인차, 구급차, 유조차가 나르는 것이 각각 쓰여 있습니다.

4 자동차가 하는 여러 가지 일을 설명하는 글이므로, 중심 문장도 그 내용이 드러나 있어야 합니다.
| 오답 분석 | (2) 중심 문장을 설명해 주는 뒷받침 문장임.

5 세계의 음식을 설명하는 글입니다.

6 비빔밥을 설명한 부분 아래에 햄버거에 대한 설명이 있습니다.

7 글에서 음식마다 관련 있는 나라를 소개했습니다.

8 글의 전체 내용을 포함하는 문장을 고릅니다.

이렇게 지도하세요

여러 가지 자동차

이 글은 오늘날 자동차가 하는 여러 가지 일을 쓴 백과사전 글입니다.

Q1 글을 읽고 가장 중요한 낱말을 찾는 활동과 가장 중요한 문장을 찾는 활동은 비슷한 것인가요?
'~이/가 ~한다'

A1 글에서 핵심적인 낱말을 찾는 활동과 핵심적인 낱말이 포함된 문장을 찾는 활동이므로 비슷한 것으로 이해하시면 됩니다. 그리고 글의 중심 생각을 나타내는 문장을 **중심 문장**, 그 중심 문장을 도와주고 설명해 주는 문장을 **뒷받침 문장**이라고 부르는 점도 알려 주시면 독해하는 데 도움이 됩니다.

→ 중심 낱말
오늘날 자동차는 여러 가지 일을 합니다. 『먼저, 견인차는
가장 중요한 문장 → 중심 문장
고장 난 차나 사고가 나서 달릴 수 없는 차를 끌고 갑니다. 구급차는 응급 환자를 병원으로 나르고, …… 경주용 자동차는 경주 대회에서 선수들이 빨리 달릴 수 있게 합니다.』
『 』: 중심 문장을 도와주고 설명해 주는 문장 → 뒷받침 문장

다양한 음식

이 글은 세계의 다양한 음식의 특징을 쓰고, 비빔밥, 햄버거, 피자를 대표적으로 설명하여 쓴 글입니다.

Q2 아이가 글 전체를 다 읽고 나서 가장 중요한 문장 하나를 고르기 어려워하네요. 어떻게 도움을 줄 수 있을까요?

A2 보통 글에서 가장 중요한 문장은 뒷받침하는 내용을 모두 포함할 수 있게 씁니다. 따라서 글의 앞부분이나 끝부분을 살펴보고 가장 중요한 문장을 찾게 해 주시면 좋습니다. 그리고 중심 낱말과 관련해 읽는 이에게 정보를 제공해 주는 문장을 찾아보며 가장 중요한 문장을 파악하게 해 주세요.

→ 중심 낱말
세계의 음식은 만드는 방법이 다르고, 맛이나 모양도 달라요.
중심 낱말과 관련하여 정보를 제공해 주는 문장 → 가장 중요한 문장
비빔밥 여러 가지 나물과 고기, 양념을 넣어 비벼서 먹는 밥이에요. ……
햄버거 둥근 빵 사이에 다져서 구운 쇠고기와 채소, 양념 등을 끼운 음식이에요. ……
피자 둥근 밀가루 반죽 위에 토마토, 고기, 치즈 등을 얹어 구운 빵이에요. ……

4주

처음 - 가운데 - 끝을 찾아요

본문 82~85쪽

1 (1) 식품 (2) 물기 (3) 농장
2 (1) 따다 (2) 먹다 (3) 보다 (4) 만들다
3 (3) ○
4 (1) 처음 (2) 끝 (3) 가운데
5 ③
6 ④
7 (3) ○ (4) ○
8 ②

1 그림과 낱말 뜻을 보고, •보기•에서 알맞은 낱말을 찾아 씁니다.

2 그림에 알맞게 몸이나 손발이 움직이는 모습을 나타낸 말을 씁니다.

3 글쓴이는 어린이날에 딸기 농장에 가고 싶다고 썼습니다.

4 하나의 글을 '처음', '가운데', '끝'의 세 부분으로 나눌 수 있습니다.

5 유통 기한을 보면 식품을 언제까지 사고팔고, 먹을 수 있는지 알 수 있습니다.

6 바싹 말랐거나 달거나 짠 음식, 통조림 음식은 유통 기한이 길고, 우유, 두부, 고기는 유통 기한이 짧습니다.

7 유통 기한이 지나면 식품이 상할 수 있습니다.
| 오답 분석 | (1) 유통 기한은 식품의 겉포장에 쓰여 있음. (2) 유통 기한은 식품에 따라 다름.

8 글의 끝부분에 유통 기한을 보고 주의할 점을 썼습니다.
| 오답 분석 | ① 가운데 부분의 내용 ③ 글에 없는 내용

이렇게 지도하세요

딸기 농장에 가요

이 글은 글쓴이가 선생님께 어린이날에 딸기 농장에 같이 가자는 부탁을 쓴 글입니다.

Q1 부탁하는 글은 어떻게 세 부분으로 나눌 수 있을까요?

A1 **부탁하는 글**에 들어갈 내용을 따지며 나누면 됩니다. 부탁하는 글에서 처음 부분에는 첫인사가 들어가고, 가운데 부분에는 부탁하고 싶은 것과 부탁하는 까닭이 들어가며 끝부분에는 끝인사, 쓴 사람이 들어갑니다.

> 선생님, 안녕하세요? 저는 김규민입니다. → 처음: 첫인사
>
> 저는 어린이날에 딸기 농장에 가고 싶습니다.(부탁) 왜냐하면 딸기가 어떤 곳에서 자라는지 보고, …… 딸기 잼도 만들어 보고 싶습니다.(까닭) → 가운데: 부탁하고 싶은 것과 부탁하는 까닭
>
> 딸기 따기 체험을 할 때 주의할 점도 잘 지켜서 모두가 즐거운 시간이 되면 좋겠습니다. 안녕히 계세요. - 김규민 올림 → 끝: 끝인사, 쓴 사람

유통 기한이 뭔가요?

이 글은 유통 기한을 보고 알 수 있는 것, 유통 기한이 쓰여 있는 곳 등을 자세히 설명하여 쓴 글입니다.

Q2 설명하는 글의 '처음 - 가운데 - 끝'은 어떻게 구성되나요?

A2 **설명하는 글**은 읽는 사람이 글의 내용을 쉽게 이해하도록 **'처음', '가운데', '끝'**으로 짜임새 있게 이루어집니다. 처음 부분에서 읽는 사람의 관심을 끄는 내용과 설명 대상이 무엇인지 밝히고, 가운데 부분에서 설명 대상에 대해 알기 쉽게 자세히 설명하며 끝부분에서 설명 내용을 간단히 요약하거나 마무리합니다.

> 부모님이 우유를 고를 때 꼭 보시는 것은 무엇일까요? 유통 기한이에요.(읽는 사람의 관심을 끄는 내용) 유통 기한(설명 대상)을 보면 식품을 언제까지 사고팔고, 먹을 수 있는지 알 수 있어요. → 처음: 머리말
>
> 『과자나 음료수 같은 수많은 식품에 유통 기한이 있어요. …… 아주 달거나 짠 음식, 통조림 음식은 유통 기한이 길지요.』(『 』: 설명 대상의 특징) → 가운데: 본문
>
> 유통 기한이 지나면 식품이 상할 수 있어요.(설명 내용을 마무리하는 내용) …… 꼼꼼히 살펴보고, 유통 기한이 지난 식품은 먹지 말아야 해요. → 끝: 맺음말

일의 순서를 정리해요

본문 86~89쪽

1 (1) ㉰ (2) ㉯ (3) ㉮
2 (1) 끓다 (2) 삶다 (3) 놓다
3 ②, ③
4 ㉮
5 ②
6 ③
7 (1) 5 (2) 2 (3) 1 (4) 3 (5) 4

1 '짝'은 둘이 어울려 한 벌이나 한 쌍을 이루는 것의 각각을 세는 단위를, '잔'은 음료를 담아 그 분량을 세는 단위를, '개'는 낱으로 된 물건을 세는 단위를 나타냅니다.

2 'ㄶ', 'ㄻ', 'ㅎ'과 같은 받침이 들어간 낱말은 잘못 쓰기 쉬우니 주의해야 합니다.

3 토끼 인형을 만들 때 장갑 두 짝, 단추 세 개, 접착제가 필요합니다.

4 글에서 토끼 인형을 '만드는 순서'를 쓴 부분을 보면 답을 쉽게 알 수 있습니다.
| 오답 분석 | ㉯ 2에서 할 일 ㉰ 1에서 할 일

5 달걀을 삶는 데 달걀, 냄비, 긴 젓가락, 체를 준비합니다.

6 현서는 달걀을 맛보고 오늘따라 달걀이 더 촉촉하고 맛있다고 생각했습니다.

7 글을 읽으며 일이 일어난 순서를 파악한 다음, 문제에 주어진 그림과 내용을 살펴 일이 일어난 순서에 맞게 번호를 씁니다.

이렇게 지도하세요

토끼 인형 만들기

이 글은 장갑으로 토끼 인형을 만드는 방법을 순서대로 쓴 설명하는 글입니다.

Q1 일의 순서를 설명하는 글을 읽을 때 주의할 점은 무엇인가요?

A1 인형을 만드는 순서, 장난감을 조립하는 방법, 음식 만드는 방법 등을 쓴 글은 모두 일의 순서를 설명하는 글입니다. 이와 같은 글을 읽을 때에는 그림이나 사진을 주의 깊게 살펴보게 해 주시고, 일의 순서를 나타내는 부분과 중요한 문장을 찾아보게 해 주시면 됩니다.

1 	왼쪽 장갑의 둘째 손가락과 다섯째 손가락을 묶고, 손목 부분을 접어요. → 처음 할 일
2 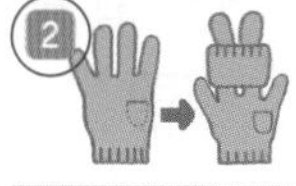	오른쪽 장갑의 첫째 손가락을 아래로 접고, 셋째 손가락과 넷째 손가락에 1을 끼워요. → 두 번째 할 일
3 	2에 접착제를 사용해 단추로 눈과 코를 예쁘게 붙이면 토끼 인형 완성~! → 마지막에 할 일

달걀 삶기

이 글은 달걀을 삶는 과정을 순서대로 쓰고, 달걀을 먹은 생각이나 느낌을 쓴 생활 글입니다.

Q2 일이 일어난 순서를 나타내는 말에 어떤 것이 있나요?

A2 이 글에서 사용한 '첫 번째', '두 번째', '세 번째', '네 번째'와 같은 말부터 '먼저', '그런 다음', '끝으로'와 같은 말도 일이 일어난 순서를 나타내는 말입니다. 글을 읽을 때, 순서를 나타내는 말을 찾아 ○표 하는 연습을 하면 글을 제대로 이해하는 데 도움이 되고, 글의 내용을 차례대로 요약할 수 있습니다.

첫 번째, 달걀을 삶는 데 필요한 준비물인 달걀, 냄비, 긴 젓가락, 체를 잘 챙깁니다. 두 번째, 달걀을 씻어 냄비에 넣고, 달걀이 잠길 정도의 물을 붓습니다. 세 번째, 불에 냄비를 올려놓고 물이 끓을 때까지 긴 젓가락으로 달걀을 가끔씩 굴려 줍니다. 네 번째, 물이 끓기 시작하면 12분 뒤에 불을 끄고, 달걀을 건집니다. 그런 다음 찬물에 담가 두면 달걀 삶기 끝!

4주

원인과 결과를 알아요

본문 90~93쪽

1 (1) 살랑살랑 (2) 바들바들
(3) 벌컥벌컥 (4) 우당퉁탕
2 ②
3 (1) 정우 (2) 우유
4 ②, ④
5 ①
6 ③
7 (2) ○

1 그림과 뜻을 보고 모양이나 소리를 흉내 내는 말을 알맞게 찾아 빈칸에 씁니다.

2 민희는 쉬는 시간에 교실에서 우유를 마시고 있었습니다.

3 일이 일어난 까닭을 찾아 '원인'을 쓰고, 일어난 일을 찾아 '결과'를 씁니다.

4 이 글에서 바람과 해가 나그네의 겉옷을 먼저 벗기는 쪽이 이기는 시합을 하고 있습니다.

5 바람과 해의 말("그럼 누가 더 힘이 센지 시합해 보자.")에서 시합을 한 까닭을 알 수 있습니다.

6 바람은 센 바람을 일으켰지만 나그네는 몸을 떨며 겉옷을 더욱 꽉 붙잡았습니다.
| 오답 분석 | ① 바람과 해가 서로 자기가 더 힘이 세다고 말다툼을 함. ② 바람은 나그네에게 바람을 일으켜 겉옷을 벗기려 함.

7 해가 나그네에게 뜨거운 햇빛을 비춘 것은 '원인'입니다.

이렇게 지도하세요

쉬는 시간에 일어난 일

이 글은 쉬는 시간에 교실에서 우유를 마시던 민희가 정우가 넘어지는 소리에 놀라 우유를 쏟은 일을 쓴 생활 글입니다.

Q1 아이에게 원인과 결과라는 말이 생소한데, 어떻게 설명해 주면 좋을까요?

A1 **원인**은 어떤 일이 일어나게 만든 까닭이고, **결과**는 원인으로 인하여 일어난 일입니다. 자녀가 이 원인과 결과의 차이를 잘 모른다면 자녀에게 "~가 왜 그랬지?"라는 질문을 하셔서 원인을 찾게 하고, "그래서 어떻게 되었어?"라는 질문을 하셔서 결과를 찾게 해 주세요.

정우가 우당퉁탕 복도에서 뛰어 들어오다가 민희 앞에서 넘어졌습니다.

"쾅!" → 민희가 우유를 다 쏟은 원인
민희는 그 소리에 깜짝 놀라 우유를 다 쏟아 버렸습니다.
→ 정우가 "쾅!" 하고 넘어진 결과

바람과 해의 시합

이 글은 바람과 해가 누가 더 힘이 센지 시합을 해서 해가 이기는 내용의 세계 명작 동화입니다.

Q2 이 이야기에는 원인과 결과에 해당하는 내용이 여러 번 나오는 것 같은데 맞나요?

A2 그렇습니다. 바람이 나그네에게 센 바람을 일으킨 일은 '원인', 나그네가 겉옷을 꽉 붙잡은 일은 '결과'이고, 해가 나그네에게 뜨거운 햇빛을 비춘 일도 '원인', 나그네가 겉옷을 벗은 일도 '결과'입니다. 이처럼 원인과 결과가 여러 번 나오는 이야기는 '그래서', '왜냐하면'과 같은 이어 주는 말을 넣어 정리하게 하면, 글의 내용을 오래 기억할 수 있습니다.

바람은 더욱 센 바람을 일으켰지만(원인 ①) 나그네는 몸을 바들바들 떨며 겉옷을 더욱 꽉 붙잡았습니다.(결과 ①)
그때 해가 웃으며 나그네에게 부드러운 햇빛을 비추었습니다.(원인 ②) 나그네는 겉옷의 단추를 하나씩 풀었습니다.(결과 ②) 해는 다시 뜨거운 햇빛을 비추었습니다.(원인 ③) 그러자 나그네는 겉옷을 벗었습니다.(결과 ③)

글의 내용을 정리해요

본문 94~97쪽

1 (1) ㉮ (2) ㉰ (3) ㉱ (4) ㉯

2 (1) 이루어지다 (2) 나가다

3 ④

4 (1) 색깔 (2) 맛

5 무지개

6 ③

7 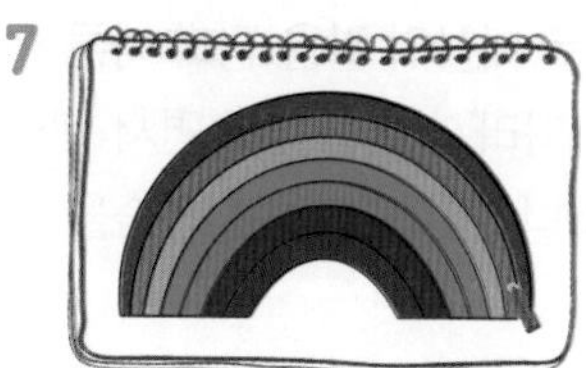

8 (1) 햇빛 (2) 띠 모양

1 각 낱말의 뜻을 알고, 바르게 따라 씁니다.

2 '이루어지다'는 '무엇이 만들어지다.'를, '나가다'는 '값이나 무게가 어떤 정도에 이르다.'를 뜻합니다.
| 오답 분석 | (1) 이끌리다: 무엇에 따라가다. (2) 누르다: 힘을 주어 밀다.

3 세계에서 가장 큰 과일인 '바라밀'은 '잭푸르트'라고도 부릅니다.

4 바라밀은 겉과 안의 색깔이 다르고, 맛은 달콤하고 상큼합니다.

5 무지개에 대해 자세히 쓴 글입니다.

6 무지개는 하늘에 있는 물방울과 햇빛이 만나 생깁니다.
| 오답 분석 | ① 글에 구름에 대한 내용은 찾을 수 없음. ② 무지개는 비가 온 다음, 바로 해가 떴을 때 생김.

7 일곱 색깔을 알맞게 색칠합니다.

8 글에서 두 번째 문단, 네 번째 문단을 보고 정리하여 씁니다.

이렇게 지도하세요

세계에서 가장 큰 과일

이 글은 세계에서 가장 큰 과일인 바라밀의 특징을 설명하는 글입니다.

Q1 글의 전체 내용을 표에 정리하며 글을 읽으면 어떤 점이 좋은가요?

A1 글의 내용을 표에 정리하며 읽으면 글의 전체 구조를 한눈에 파악할 수 있어 좋습니다. 이 글 역시 바라밀의 크기, 색깔, 맛에 대해 나누어 설명하고 있으니 중심 낱말을 먼저 찾은 다음 세 항목으로 나누어 표에 정리해 보도록 이끌어 주세요.

바라밀 중에서도 가장 큰 것은 길이가 90센티미터, 무게가 30킬로그램까지 나간대요. 웬만한 아이만큼 크기가 크지요.
→ 바라밀의 크기

바라밀은 겉과 안의 색깔이 서로 달라요. 겉은 푸른색이고, 껍질 안은 노란색이에요.
→ 바라밀의 색깔

그리고 바라밀은 맛이 달콤해요. 또 상큼한 맛도 나지요.
→ 바라밀의 맛

일곱 색깔 무지개

이 글은 무지개가 생기는 원리, 볼 수 있는 때와 곳, 색깔과 모양을 설명하는 글입니다.

Q2 하나의 글에 여러 가지 정보가 나오는 글을 독해할 때 중요하게 생각할 점은 무엇인가요?

A2 이 글처럼 정보가 많은 글을 읽을 때에는 자녀가 글을 다 읽은 다음, 표에 정리하기 문제를 푸는 훈련을 반복적으로 할 수 있게 해 주세요. 표에 정리하기 문제는 단순히 빈칸을 채우는 것이 목적이 아닙니다. 글에 나타나 있는 여러 가지 정보를 스스로 분류해 보고, 알맞은 내용끼리 조직화하는 매우 중요한 활동입니다.

무지개는 하늘에 있는 물방울과 햇빛이 만나 생깁니다.
무지개에 대한 정보 ①: 생기는 까닭
평소에 우리 눈에는 보이지 않지만 ……

무지개는 비가 온 다음, 바로 해가 떴을 때 해의 반대쪽
무지개에 대한 정보 ②: 볼 수 있는 때와 곳
하늘에서 볼 수 있습니다. ……

무지개는 바깥쪽부터 안쪽으로 빨간색, 주황색, …… 보라색의 일곱 색깔로 이루어져 있습니다. 그리고 무지개는 동그라미의 반이 잘린, 띠 모양을 하고 있습니다.
무지개에 대한 정보 ③: 색깔과 모양

4주

설명한 것의 같거나 다른 점을 알아요

본문 100~103쪽

1 (1) ㉰ (2) ㉯ (3) ㉱ (4) ㉮
2 (1) 뒤덮이다 (2) 재다
3 ①, ②
4 (1) ㉮ (2) ㉯
5 (1) ㉯ (2) ㉮
6 ㉯
7 ③, ④
8 (1) 앞쪽 (2) 양 옆

1 그림이 뜻하는 낱말을 생각해 따라 쓴 다음, 각 낱말의 뜻을 찾아 선으로 잇습니다.

2 산이 흰 눈으로 뒤덮인 그림과 몸무게를 재고 있는 그림입니다.

3 북극과 남극은 매우 추워서 얼음으로 뒤덮여 있습니다.
| 오답 분석 | ③ 북극은 지구의 맨 위쪽, 남극은 지구의 맨 아래쪽임.

4 북극과 남극의 다른 점을 설명한 두 번째 부분(문단)을 자세히 살펴보도록 합니다.

5 다른 동물을 잡아먹고 사는 동물은 육식 동물, 풀을 먹고 사는 동물은 초식 동물입니다.

6 육식 동물과 초식 동물은 눈으로 주위를 살피고 먹이를 찾습니다.
| 오답 분석 | ㉮ 육식 동물과 초식 동물은 대부분 눈이 두 개 있음.

7 치타와 사자는 육식 동물입니다.

8 육식 동물은 두 눈이 머리 앞쪽에 달려 있고, 초식 동물은 두 눈이 머리 양 옆에 달려 있습니다.

이렇게 지도하세요

북극과 남극

이 글은 북극과 남극의 특징을 쓴 글로, 북극과 남극의 같은 점과 다른 점을 잘 설명하여 쓴 글입니다.

Q1 설명하는 글을 읽을 때 가장 먼저 할 일은 무엇인가요?

A1 설명하는 대상을 찾아야 합니다. 이 글은 북극과 남극이라는 두 가지 대상을 설명하고 있는데, 두 대상의 같은 점과 다른 점을 중심으로 쓴 것이 특징입니다. 따라서 글을 읽으면서 북극과 남극 중 무엇에 대한 설명인지 나누어 표시하는 연습을 시켜 주세요.

북극과 남극은 매우 추워서 얼음으로 뒤덮여 있습니다.
북극과 남극의 같은 점
북극에는 에스키모가 삽니다. 에스키모들은 얼음으로 집을 만들고, 썰매를 타고 다니면서 사냥을 합니다.
북극과 남극의 다른 점 ①
이와 달리 남극에는 사람이 거의 살지 않았다가 …… 과학자들이 와서 연구를 하며 남극의 비밀을 조금씩 풀고 있습니다.
북극과 남극의 다른 점 ②

육식 동물과 초식 동물의 눈

이 글은 육식 동물과 초식 동물의 눈이 어떤 점이 같고, 또 어떤 점이 다른지 설명하여 쓴 글입니다.

Q2 이 글과 같이 두 가지 대상에서 같은 점과 다른 점을 설명하는 글의 짜임은 무엇이라고 하나요?

A2 비교와 대조 짜임입니다. 두 가지 이상의 대상에서 같은 점(공통점)을 찾아 설명하는 방법을 **비교**, 다른 점(차이점)을 찾아 설명하는 방법을 **대조**라고 합니다. 아직 자녀에게 짜임 종류까지 설명해 주실 필요는 없지만, 이런 글은 정보를 크게 두 가지로 나누어야 한다는 점은 꼭 강조해 주세요.

육식 동물과 초식 동물은 대부분 눈이 두 개 있고, 두 눈으로 주위를 살피고 먹이를 찾아요. ……
육식 동물과 초식 동물의 눈의 같은 점

치타나 사자처럼 다른 동물을 잡아먹고 사는 육식 동물은 두 눈이 머리 앞쪽에 달려 있어요. 먹이를 잡기 위해서 거리를 정확하게 재야 하거든요.
육식 동물과 초식 동물의 눈의 다른 점 ①

기린이나 얼룩말처럼 풀을 먹고 사는 초식 동물은 두 눈이 머리 양 옆에 달려 있어요.
육식 동물과 초식 동물의 눈의 다른 점 ②

인물과 비슷한 행동을 한 사람을 찾아요

본문 104~107쪽

1 (1) 비싸다 (2) 벗다
(3) 듣다 (4) 버리다
2 (1) 소원 (2) 목동
3 ③
4 태리: ○
5 간디
6 ④
7 ㉯
8 (2) ○

1 뜻이 반대인 낱말을 알아봅니다.

2 '실망'은 바라는 대로 되지 않아 섭섭한 것을 뜻하고, '경찰관'은 사회의 질서를 지키는 일을 하는 사람을 뜻합니다.

3 아기 양은 늑대에게 자신은 춤출 수 있게 해 주고, 늑대는 피리를 불어 달라고 말했습니다.

4 우혁이의 행동은 지혜롭지 못합니다.

5 인도에 살았던 간디 선생님에 대한 전기문입니다.

6 신발이 아주 귀하고 비싼 시절이라 사람들은 안타까워했습니다.

7 간디 선생님은 신발 두 짝을 주울 사람을 생각하여 행동했습니다.

8 아프리카 어린이에게 음식을 보내려고 용돈을 모으는 선균이의 행동이 간디 선생님이 한 일과 비슷합니다.
| 오답 분석 | (1) 친구들과 음식을 나누어 먹지 않고 혼자 먹는 행동은 다른 사람을 배려하지 않는 행동임.

이렇게 지도하세요

지혜로운 아기 양

이 글은 아기 양이 무서운 늑대를 만난 위기 상황을 지혜롭게 극복한 내용의 세계 명작 동화입니다.

Q1 이야기와 관련된 자신의 경험을 떠올리며 글을 읽으면 좋은 점이 무엇인가요?

A1 자신의 경험을 떠올리면 인물이 처한 상황을 잘 이해하고, 이야기에 더 재미를 느낄 수 있어 좋습니다. 자녀에게 "네가 아기 양이라면 어떻게 행동했겠니?", "아기 양과 비슷한 일을 겪은 적이 있니?"와 같은 질문을 해 주시고, 구체적으로 생각하고 답할 수 있게 해 주세요.

"춤출 수 있게 해 주세요. 그리고 늑대님은 이 피리를 불어 주세요."
→ 위험에 처했지만 침착하게 행동한 아기 양
늑대는 열심히 피리를 불고, 아기 양은 춤을 췄어요. 그때 피리 소리를 듣고 목동과 사냥개가 달려왔지요. 늑대는 결국 잡히고 말았어요.
→ 지혜롭게 위기에서 벗어난 아기 양

간디 선생님의 신발 한 짝

이 글은 다른 사람을 배려한 간디의 일화를 통해 본받을 점을 찾을 수 있는 전기문입니다.

Q2 아이가 이야기의 내용에 공감하지 못할 때에는 어떻게 지도해야 하나요?

A2 자녀가 이야기 속 인물과 비슷한 경험을 해 본 적이 없거나 이야기의 내용을 제대로 이해하지 못한 경우에 공감하지 못할 수 있습니다. 자녀가 인물과 비슷한 행동을 한 경험이 없다면 책에서 읽었던 내용이나 텔레비전에서 본 것 등 간접 경험한 것을 먼저 떠올려 보게 해 주시면 도움이 됩니다.

그때 갑자기 간디 선생님이 신고 있던 나머지 신발 한 짝도 던졌어요. → 귀하고 비싼 신발을 버린 간디 선생님
"아이쿠! 선생님, 왜 아까운 신발을 버리시나요?"
간디 선생님은 빙그레 웃으며 말했어요.
"어차피 신발 한 짝은 신을 수 없습니다. 그런데 만약 누군가 신발 두 짝을 줍게 되면 쓸모가 있게 되니 좋은 일이지요."
→ 다른 사람을 먼저 생각한 간디 선생님

5주

이야기를 읽고 생각을 나누어요

본문 108~111쪽

1 (1) 여우 (2) 접시 (3) 부리
(4) 친구 (5) 비행기 (6) 나뭇잎
2 (1) 닮다 (2) 굶다 (3) 젊다
3 (1) 큰형 (2) 먼저
4 (1) ◯
5 ③
6 ③
7 ②
8 (1)과 (2)에 색칠

1 각 그림이 뜻하는 낱말이 되도록 알맞은 자음자나 모음자를 씁니다.

2 받침 'ㄻ'이 들어간 낱말은 잘못 쓰기 쉬우니 주의합니다.

3 첫째와 둘째의 말을 보면 생각을 알 수 있습니다.

4 셋째는 차례대로 가지고 놀자고 말했습니다.

| 오답 분석 | (2) 셋째는 큰형이 처음에, 그 다음에 둘째 형, 마지막에 자신이 가지고 놀자고 말함.

5 여우는 납작하고 넓은 접시에 수프를 담아 놓았습니다.

6 두루미는 부리가 길어 접시에 담긴 수프를 먹을 수 없었습니다.

7 여우는 자신이 접시에 음식을 담은 게 잘못이었음을 깨닫고 뉘우치고 있습니다.

8 글의 내용에 어울리게 생각을 정리해야 합니다.

| 오답 분석 | (3) 여우와 두루미는 서로를 배려하지 않아서 둘 다 음식을 먹지 못한 것임.

이렇게 지도하세요

아기별

이 글은 아기별 삼 형제가 종이로 만든 비행기를 서로 가지려고 다툰 일을 쓴 창작 동화입니다.

Q1 이야기를 읽고 왜 자신의 생각을 나누어야 할까요?

A1 같은 이야기를 읽더라도 읽는 사람의 경험이나 환경에 따라 생각이 서로 다릅니다. 따라서 이야기의 내용에 알맞은 자신의 생각과 까닭을 정리하여 다른 사람과 나누면 서로의 생각을 비교해 볼 수 있어 좋고, 이야기를 더 깊이 있게 이해하는 데 도움이 됩니다.

첫째 "큰형이니까 내가 가져야 해."
둘째 "내가 먼저 보았으니까 내가 가져야지!"
셋째 "그러지 말고 차례대로 가지고 놀자. …… 그러면 싸우지 않아도 돼."
→ 인물들의 모두 다른 생각

여우와 두루미

이 글은 여우와 두루미가 서로에게 맞지 않은 그릇에 음식을 대접한 일을 통해 '상대방의 입장에서 생각하자.'는 교훈을 주는 세계 명작 동화입니다.

Q2 아이에게 이야기를 읽고 생각을 말해 보라 하니, "재미있어요.", "시시해요."와 같이 단순한 느낌만 이야기하네요. 이보다 더 자세히 생각을 표현하게 할 수는 없을까요?

A2 자신의 생각을 말할 때에는 제일 먼저 이야기에서 공감이 가거나 인상 깊었던 장면이나 내용을 찾게 해 주시고, 그 까닭을 말하게 해 주세요. 그리고 이야기의 숨은 뜻을 찾아보고, 자녀가 새롭게 생각한 점을 자신 있게 표현하도록 격려해 주세요.

두루미의 긴 부리로는 접시에 담긴 수프를 먹을 수가 없었습니다. 두루미는 배만 쫄쫄 굶고 집으로 갔습니다. (여우가 두루미를 생각하지 않아 생긴 일)

다음 날, 두루미가 여우를 집으로 초대했습니다. 두루미는 길고 좁은 병에 음식을 담아 두었습니다. ……

하지만 여우는 병에 담긴 음식을 하나도 먹을 수가 없었습니다. (두루미가 여우를 생각하지 않아 생긴 일)

이야기를 읽고 생각을 나눈 예: '여우와 두루미가 서로 배려해야 해.', '여우와 두루미는 상대방이 먹을 수 있는 그릇을 준비해야 해.'

글쓴이의 생각과 내 생각을 비교해요

본문 112~115쪽

1 (1) 허락 (2) 편식 (3) 주말
2 (1) 쌩쌩 (2) 꾸역꾸역
(3) 조심조심
3 ③
4 (3) ○
5 준이, 부모님
6 ③
7 ③
8 현우: ×

1 '허락'은 윗사람이 아랫사람의 부탁을 들어주는 것이고, '편식'은 좋아하는 음식만 먹는 것이고, '주말'은 토요일과 일요일입니다.

2 그림에 어울리는 흉내 내는 말을 찾습니다.

3 엄마가 슬아에게 쓴 쪽지 글을 보면 음식을 골고루 먹어야 몸이 튼튼해진다고 쓰셨습니다.

4 슬아는 좋아하는 음식만 먹게 해 달라고 했습니다.
| 오답 분석 | (1) 슬아가 쓴 글에 나타나지 않은 내용임. (2) 슬아 엄마의 생각임.

5 이 글은 준이가 부모님께 쓴 편지입니다.

6 글쓴이는 주말에 자전거를 타고 싶어 합니다.

7 글쓴이는 자전거를 타면 건강에 좋고 다리가 튼튼해진다고 했습니다.

8 글쓴이는 안전하게 자전거를 타겠다고 했습니다.

이렇게 지도하세요

이 생각, 저 생각

이 글은 엄마와 슬아가 음식을 가려 먹는 일에 대해 서로 다른 생각을 전하는 쪽지 글입니다.

Q1 글쓴이의 생각이 분명히 드러난 글을 읽고, 주요 내용을 쉽게 찾게 하는 방법이 따로 있나요?

A1 제일 먼저 글의 제목을 보고 무엇에 대한 내용인지 짐작하게 하세요. 그 다음, 글쓴이가 하고 싶은 말에 해당하는 글쓴이의 생각이 무엇인지 찾게 이끌어 주세요. 끝으로 글쓴이가 그렇게 생각한 까닭을 찾게 해 주세요. 이러한 과정을 거치면 글의 내용을 이해하기 쉬워집니다.

이 생각, 저 생각 → 엄마와 슬아의 생각이 서로 다르다는 것을 짐작할 수 있음.

슬아야, 병에 걸리지 않으려면 편식하지 말고 음식을 골고루 먹어야 한단다.(엄마의 생각) 음식마다 들어 있는 영양소가 달라서 음식을 골고루 먹어야 몸이 튼튼해지거든.(엄마가 그렇게 생각한 까닭)

엄마, 싫어하는 음식을 꾸역꾸역 먹으면 체하기 쉽대요. 그리고 저는 좋아하는 음식을 맛있게 먹을 때가 제일 행복해요.(슬아가 그렇게 생각한 까닭) 그러니 제가 좋아하는 음식만 먹게 해 주세요.(슬아의 생각)

주말에 자전거를 타게 해 주세요

이 글은 글쓴이가 주말에 자전거를 타게 해 달라고 부모님께 부탁하는 편지 글입니다.

Q2 글쓴이의 생각과 자신의 생각을 비교할 때 주의할 점이 있나요?

A2 글쓴이의 생각을 바르게 파악하는 것이 가장 중요합니다. 보통 글쓴이의 생각은 '~해 주세요.', '~해야 합니다.', '~라고 생각합니다.'와 같은 문장으로 표현하므로 쉽게 찾을 수 있습니다. 그런 다음, 글쓴이의 생각과 자신의 생각이 같은지 또는 다른지를 정리하게 해 주세요.

엄마, 아빠! 주말에 자전거를 타게 해 주세요.(글쓴이의 생각) 자전거를 타면 건강에 좋고, 다리가 튼튼해져요.(글쓴이의 생각에 대한 까닭 ①) 아직은 자전거를 서툴게 타지만 저도 친구들처럼 자전거를 쌩쌩 잘 타고 싶어요.(글쓴이의 생각에 대한 까닭 ②) 자주 타면 자전거 실력도 늘 거예요.(글쓴이의 생각에 대한 까닭 ③)

글쓴이와 생각을 같게 한 예: '주말에 자전거를 타고 싶어요.', '자전거를 타면 좋은 점이 많아요.'

5주

글의 내용을 새로운 상황에 적용해요

본문 116~119쪽

1 (1) 함께 (2) 생신 (3) 쓰레기
(4) 목욕 (5) 어른 (6) 바닷속
2 (1) ㉰ (2) ㉯ (3) ㉮
3 ㉯에 색칠
4 ①
5 ②
6 ㉮
7 ②

1 맞춤법에 맞는 낱말을 정확하게 사용할 줄 알아야 합니다.

2 '집'의 높임말은 '댁', '밥'의 높임말은 '진지', '나이'의 높임말은 '연세'입니다.

3 할아버지께 축하 인사를 드릴 때에는 "할아버지, 생신을 축하드립니다."가 알맞습니다.

4 이 글은 물이 오염되면 일어날 수 있는 일과 물을 오염시키지 않기 위해 우리가 할 수 있는 일을 썼습니다.

5 물이 오염되면 목욕을 할 수 없을 것입니다.

6 이 글은 물을 오염시키지 말아야 한다는 생각을 전합니다.
| 오답 분석 | ㉯ 이 글은 물을 오염시키면 물이 부족해지므로 함부로 쓰지 말자는 생각을 펼침.

7 샴푸를 조금만 사용해야 물을 오염시키지 않을 수 있습니다.
| 오답 분석 | ① 음식물 쓰레기를 많이 만들지 않아야 함. ③ 물에 기름을 버리지 않아야 함. ④ 강물에 쓰레기를 버리지 않아야 함.

이렇게 지도하세요

알맞은 말을 써요

이 글은 예사말과 높임말을 사용하는 대상을 밝히고, 예사말과 높임말의 예를 비교하여 설명하는 글입니다.

Q1 글에서 설명하는 내용을 새로운 상황에 적용하기 위해 아이가 제일 먼저 해야 할 일은 무엇인가요?

A1 글의 내용을 새로운 상황에 적용하려면 **글의 세부 내용**까지 꼼꼼히 읽고, 중요 내용을 잘 파악해야 합니다. 글을 대충 훑어 읽기만 하면 머릿속에 남는 것이 하나도 없습니다. 자녀가 글을 자신의 것으로 잘 받아들이며 읽는 연습을 시켜 주세요.

예사말은 편하게 하는 말로, 친구나 동생에게 씁니다. 높임말은 예의 있게 상대방을 높이는 말로, 할아버지, 할머니, 부모님과 같은 어른들께 씁니다.

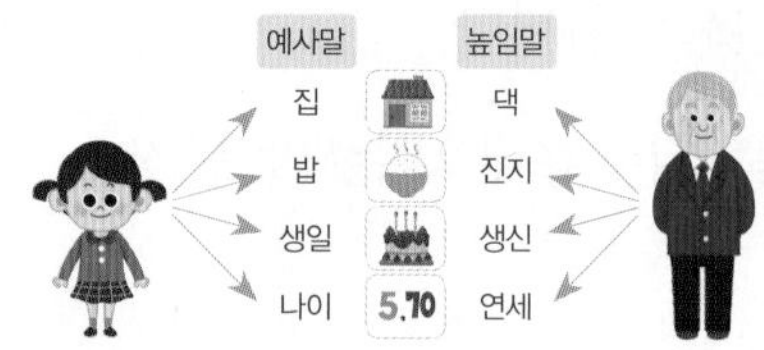

새로운 상황에 적용하는 과정 ㉠: 할아버지께는 높임말을 사용해야 함. → '생일'의 높임말은 '생신'임. → "할아버지, 생신을 축하드립니다."와 같이 말해야 함.

우리가 할 일

이 글은 물이 오염되면 일어날 일을 우려하는 내용과 물을 오염시키지 않기 위해 해야 할 일을 설득하는 광고 글입니다.

Q2 평소에 아이가 공익 광고를 다 보고 나서도 우리 생활과 연관 지어 생각하지 못하는데 어떻게 도와줄까요?

A2 **공익 광고**는 알리려는 내용이나 대상을 사람들이 오래 기억하도록 표현한 것입니다. 따라서 공익 광고에서 전하는 메시지를 바르게 이해해야 실제 생활에서 우리가 해야 할 일을 쉽게 찾을 수 있습니다.

물이 오염되면	물을 오염시키지 않으려면
물을 마실 수 없어요.	비누를 조금만 사용해요.
목욕을 할 수 없어요. ……	물에 기름을 버리지 않아요. ……

새로운 상황에 적용하는 과정 ㉠: 전체 글을 다 읽고, '물을 오염시키지 말자.'라는 메시지를 파악함. → 물을 오염시키지 않기 위해 해야 할 일을 예로 든 부분을 살펴봄. → 문제를 풀면서 글과 비슷한 예시 상황을 찾음.

생각에 대한 까닭을 더 알아요

본문 122~125쪽

1 (1) 시간 (2) 충치 (3) 도시
2 (1) 치과 (2) 미술관 (3) 놀이공원
3 ㉮
4 ③
5 ②
6 ③
7 (1)-㉮-㉠ (2)-㉯-㉡
8 우영

1 그림과 주어진 뜻을 보고 알맞은 낱말을 찾아 씁니다.

2 '내과'는 몸 안의 병을 치료하는 병원, '도서관'은 책과 자료를 모아 사람들이 보거나 빌릴 수 있게 한 곳, '박물관'은 여러 가지 유물을 수집하고 전시한 곳입니다.

3 글쓴이는 '이를 잘 닦읍시다.'라는 생각을 직접적으로 글에 썼습니다.

4 이를 잘 닦지 않았을 때의 나쁜 점이나 이를 잘 닦으면 좋은 점을 까닭으로 써야 합니다.

5 새싹반 친구들은 어디에서 살고 싶은지 그림을 그리고 말했습니다.

6 다혜가 말한 부분을 찾아봅니다.
| 오답 분석 | ① 도시에 놀이공원이 있음. ② 바다에 살면 물놀이를 마음껏 할 수 있음.

7 준호는 도시에서, 우영이는 바다 가까이에서 살고 싶어 합니다.

8 주어진 내용은 바다 가까이에서 살면 좋은 점에 해당하는 내용이므로, 우영이의 생각에 어울립니다.

이렇게 지도하세요

이를 잘 닦읍시다

이 글은 이를 닦지 않으면 생길 수 있는 나쁜 점을 근거로 들어 '이를 잘 닦자.'는 생각을 쓴 주장하는 글입니다.

Q1 아직 아이가 주장하는 글 읽기를 어렵게만 느끼는데, 어떻게 지도해야 할까요?

A1 주장하는 글은 **글쓴이의 생각(주장)**과 **생각에 대한 까닭(근거)**으로 이루어집니다. 자녀에게 이 주장하는 글의 구조를 알려 주시고, 생각과 까닭을 찾는 연습을 꾸준히 시켜 주세요. 보통 주장하는 글에는 까닭이 2~3개 정도 나오는데, 자녀가 까닭에 밑줄 긋게 해 주세요. 또, 비슷한 까닭도 더 생각해 보게 하세요.

> 여러분, 우리 모두 이를 잘 닦읍시다. ……
> 글쓴이의 생각(주장)
> 이를 닦지 않으면 입에서 냄새가 나고 충치가 생길 수도 있습니다. ……
> 그렇게 생각한 까닭(근거) ①
> 그리고 이를 닦지 않으면 김 가루나 고춧가루 같은 음식물이 이에 끼어서 보기 싫습니다.
> 그렇게 생각한 까닭(근거) ②
>
> 까닭을 더 알아보는 과정 ㉠: 글쓴이의 생각과 까닭을 찾음. → 이를 잘 닦지 않았을 때의 나쁜 점이나 이를 잘 닦았을 때의 좋은 점을 생각함. → '이를 닦지 않으면 이가 아픕니다.', '이를 닦으면 기분이 상쾌합니다.'와 같은 까닭을 찾을 수 있음.

친구들이 살고 싶은 곳

이 글은 새싹반 친구들이 살고 싶은 곳과 그렇게 생각한 까닭에 대해 이야기 나누는 내용을 쓴 대화 글입니다.

Q2 생각에 대한 까닭을 더 찾아볼 때 주의할 점이 있나요?

A2 **생각에 알맞은 내용의 까닭**을 찾는 것이 중요합니다. 생각에 알맞은 내용이란, 생각을 뒷받침하여 줄 수 있는 것을 말합니다. 생각에서 벗어난 내용은 생각에 알맞은 내용이 아닙니다. 이 글에서 인물의 생각에 알맞은 내용의 까닭을 찾으려면, 인물이 하고 싶은 말과 잘 어울리는 내용을 떠올려야 합니다.

> 우영: 나는 바다 가까이에서 살면 좋겠어. 바닷가는 주변의 경치가 아름답기 때문이야. 그리고 물놀이를 자주 할 수도 있어.
> 글쓴이의 생각(주장) / 그렇게 생각한 까닭(근거) ① / 그렇게 생각한 까닭(근거) ②
>
> 까닭을 더 알아보는 과정 ㉠: 글쓴이의 생각과 까닭을 찾음. → 바다 가까이에서 살면 좋은 점이 추가할 까닭으로 알맞음. → '친구와 모래놀이도 재미있게 할 수 있어.'와 같은 까닭을 찾을 수 있음.

6주

빠진 내용을 찾아요

본문 126~129쪽

1 (1) ㉰ (2) ㉱ (3) ㉮ (4) ㉯
2 (1) 체험하다 (2) 다양하다
3 (2) ○
4 '참가비', '주의할 점'에 색칠
5 ④
6 ①, ④
7 (1) 갯벌 (2) 태풍 (3) 해일
8 ㉯

1 글을 읽기 전에 꼭 알아야 할 낱말의 뜻을 알아봅니다.

2 '열리다'는 '닫히거나 덮인 것이 열어지다.'를, '드나들다'는 '어떤 곳에 자꾸 들어갔다 나왔다 하다.'를 뜻하는 낱말입니다.

3 이 글은 '옛사람들처럼 생활하기' 행사를 안내하는 글입니다.

4 참가비와 주의할 점이 빠져 있습니다.

5 이 글은 갯벌이 우리에게 주는 것에 대해 설명하여 썼습니다.

6 갯벌은 낙지부터 게, 조개, 굴 등의 먹을거리를 많이 줍니다.

7 바닷물이 드나드는 넓은 땅은 '갯벌', 큰비가 내리며 부는 매우 센 바람은 '태풍', 갑자기 파도가 크게 생겨나 땅으로 넘쳐 들어오는 것은 '해일'입니다.

8 갯벌이 우리에게 주는 도움이 들어가야 합니다.

| 오답 분석 | ㉮ 갯벌에 대해 설명하는 글이므로, 바닷물에 들어가기 전에 준비 운동을 하는 것과 관련 없음.

이렇게 지도하세요

옛사람들처럼 생활하기

이 글은 어린이 박물관에서 열리는 '옛사람들처럼 생활하기' 행사를 안내하는 글입니다.

Q1 아이가 안내문에 들어갈 요소를 다 모르는데, 빠진 내용을 찾는 문제를 풀게 할 수 있나요?

A1 **안내하는 글**은 어떤 일·장소·행사 등을 알려 주는 글로, 어떤 대상에 대해 소개하고 알려 주는지를 하나씩 찾으며 읽어야 합니다. 자녀가 안내하는 글의 요소를 다 알지 못해도, 문제에서 말한 요소가 글에 있는지 찾아 표시하면 답을 알 수 있습니다.

'옛사람들처럼 생활하기' 행사가 열리니 많은 참여 바랍니다.

- 때와 곳: 9월 1일~10월 31일, 어린이 박물관 → 행사 날짜와 곳
- 대상: 7세~8세 어린이, 부모님 → 행사 대상
- 내용: 옛사람들이 쓰던 그릇 만들기 → 행사 내용
  옛사람들이 입던 염색 옷 만들기
- 좋은 점: …… 옛사람들의 지혜를 배울 수 있습니다. → 행사의 좋은 점

갯벌이 우리에게 주는 것

이 글은 갯벌이 우리에게 주는 도움이 무엇인지 자세히 설명하는 글입니다.

Q2 글에 드러나지 않은 내용을 어떻게 짐작해 볼 수 있나요?

A2 글에 생략된 부분을 앞뒤 내용을 보고 미루어 아는 독해 방법을 '**추론하며 읽기**'라고 합니다. 자녀가 글을 충분히 읽고, 글 안의 단서를 활용해 생략된 부분을 짐작하게 해 주세요. 이 글에서는 순서를 나타내는 말(첫째, 둘째……)과 각 중심 문장을 통해 지워진 부분의 내용을 짐작할 수 있습니다.

(첫째) 갯벌은 우리에게 자연 그대로의 먹을거리를 줍니다. 낙지부터 게, 조개, 굴 등 종류도 매우 다양합니다. → 갯벌이 주는 도움 ①

(둘째) 갯벌은 큰비가 내리며 부는 매우 센 바람인 태풍을 막아 줍니다. 또, 갯벌은 갑자기 파도가 크게 생겨나 땅으로 넘쳐 들어오는 해일을 막아 줍니다. → 갯벌이 주는 도움 ②

(셋째) → 앞뒤 내용으로 보아, 갯벌이 주는 세 번째 도움 내용이 알맞음.

(넷째) 갯벌은 볼거리가 많습니다. → 갯벌이 주는 도움 ④

이어질 내용을 상상해요

본문 130~133쪽

1 (1) 넙죽 (2) 솔솔 (3) 훨훨
2 (1) 자 (2) 꽃 (3) 표 (4) 비
3 ①
4 (2) ◯
5 ③
6 꽃, 꺾지
7 (1) 꽃 (2) 꽃밭 (3) 부끄러워서

1 절을 하는 모양, 고구마에서 냄새가 풍기는 모양, 나비가 날고 있는 모양을 흉내 내는 말을 찾습니다.

2 각 그림이 나타내는 두 개의 낱말에서 공통으로 쓰이는 글자를 빈칸에 씁니다.

3 나무꾼은 호랑이의 목구멍에 걸린 비녀를 뽑아 주었습니다.

4 호랑이가 마지막으로 한 말에 어울리는 내용을 찾습니다.

5 넓은 꽃밭에서 곰돌이와 친구들이 꽃을 마구 꺾은 일을 쓴 창작 동화입니다.

6 꽃밭에 있는 표지판에는 '꽃을 꺾지 마세요.'라고 쓰여 있었습니다.

7 동화에 이어질 내용은 앞에 일어난 일과 어울리게 상상해야 합니다. 앞에서 곰돌이와 친구들은 꽃을 꺾어 꽃밭을 엉망으로 만들었습니다.

| 오답 분석 | (1) 연필은 글에 나오지 않은 소재임. (2) 곰돌이와 친구들이 꽃을 꺾어서 꽃밭이 엉망이 된 것임. (3) 곰돌이와 친구들이 잘못을 깨닫는 상황이므로, 행복한 마음은 어울리지 않음.

이렇게 지도하세요

은혜 갚은 호랑이

이 글은 마음씨 착한 나무꾼이 호랑이의 목에서 비녀를 뽑아 준 일을 쓴 전래 동화입니다.

Q1 아이에게 동화에 이어질 내용을 말해 보라 하니, 엉뚱한 이야기만 늘어놓는데 어떻게 도움을 줘야 할까요?

A1 이야기에 이어질 내용을 상상할 때에는 가장 먼저 이야기의 차례를 바르게 파악하게 해 주세요. 어떤 일이 먼저 일어났고, 또 어떤 일이 나중에 일어났는지를 생각하며 차례를 정리하면 됩니다. 그런 다음, 맨 나중에 일어난 일에 어울리게 이어질 내용을 상상하면 됩니다.

나무꾼이 산속에서 피를 흘리며 아파하는 호랑이를 보았어요.(일어난 일 ①) 자세히 보니 호랑이의 목구멍에 비녀가 걸려 있었지요. 나무꾼은 캑캑거리는 호랑이의 목에서 비녀를 뽑아 주었어요.(일어난 일 ②)

그러자 호랑이가 나무꾼에게 넙죽 큰절을 하며 말했어요.(일어난 일 ③[맨 나중에 일어난 일])
"고맙습니다. 이 은혜는 절대 잊지 않겠습니다!"
→ 호랑이가 나무꾼에게 은혜를 갚는 내용이 이어질 것임.

나 하나쯤 어때?

이 글은 곰돌이와 친구들이 꽃밭에 갔다가 꽃을 꺾느라 꽃밭 여기저기를 밟은 내용의 창작 동화입니다.

Q2 이야기에 이어질 내용을 상상할 때, 꼭 이미 주어진 배경을 바탕으로 해야 하나요?

A2 그렇지 않습니다. 이야기의 기본 뼈대는 그대로 두고, 배경을 바꾸거나 새로운 인물을 추가해 상상할 수도 있습니다. 하지만 기존의 등장인물의 성격에 어울리게 상상해야 하고, 이야기의 앞부분 내용과 자연스럽게 이어질 수 있는 사건으로 구성하게 해 주세요. 물론 배경을 새로운 곳으로 한 경우, 새 배경에 알맞게 이야기가 이어져야 하는 점도 알려 주세요.

"뭐, 나 하나쯤 어때?"
곰돌이는 꽃을 꺾어 모자에 꽂았어요.
"나도 할래! 나도 할래!" → 꽃밭이 엉망인 상황에서 곰돌이와 친구들이 겪을 일이 이어질 것임.
친구들도 모두 꽃을 꺾어 머리에 꽂았지요. 그 바람에 그만 꽃밭 여기저기를 밟고 말았어요.(중요 사건)

6주

새로운 내용으로 바꾸어요

본문 134~137쪽

1 (1) ㉰ (2) ㉮ (3) ㉯
2 (1) 산꼭대기 (2) 솔방울 (3) 시합
3 (1) 나무 (2) 구멍 (3) 엄마 품
4 ⓔ 나무 그늘, 폭신한 침대
5 ④
6 달리기
7 ㉯에 색칠
8 ①, ②

1 '자다'와 '일어나다', '빠르다'와 '느리다', '출발하다'와 '도착하다'가 반대말입니다.

2 뜻에 알맞은 낱말을 찾습니다.
| 오답 분석 | (1) 지하: 땅의 속. (2) 물방울: 떨어지거나 맺혀 있는 작은 덩이의 물. (3) 시중: 어른이나 환자 곁에서 돕고 보살피는 일.

3 새는 나무, 쥐는 구멍, '나'는 엄마 품에서 잔다고 노래했습니다.

4 자신의 경험을 떠올려 노래의 끝부분을 알맞게 바꾸어 씁니다.

5 아주 먼 옛날에 일어난 일을 쓴 세계 명작 동화입니다.

6 토끼와 거북의 말과 행동을 봅니다.

7 거북이 시합에서 이긴 상황에서 할 말을 찾습니다.

8 거북이 깨워 주어 토끼는 미안하고 고마운 마음이 들 것입니다.
| 오답 분석 | ③ 얄미운 마음: 자기에게 좋은 일만 하려 해서 싫고 미움. ④ 속상한 마음: 매우 아프고 안타까움.

이렇게 지도하세요

새는 새는

이 글은 반복적인 표현을 통해 리듬감이 느껴지고, 등장인물의 자는 모습이 잘 떠오르는 전래 동요입니다.

Q1 이와 같은 노랫말이나 시를 새롭게 바꾸어 쓰려면 어떻게 해야 할까요?

A1 먼저 노랫말이나 시의 일부분을 바꾸어 쓸 때에는 글에 쓰인 재미있는 표현이나 내용을 찾아 바꾸어 쓰게 해 주세요. 그리고 노랫말이나 시에 나온 인물이나 내용을 자신의 주변 인물이나 경험과 관련지어 재미있게 바꾸어 쓰도록 이끌어 주세요.

돌에 붙은 조개껍데기야
나무에 붙은 솔방울아

나는 나는 어디에서 자나
나는 나는 엄마 품에서 자지.

→ 묻고 답하는 형식의 재미있는 표현을 다양한 내용으로 바꾸어 쓸 수 있음.

새로운 내용으로 바꾸어 쓴 ⓔ: 나는 나는 어디에서 자나 / 나는 나는 폭신한 침대에서 자지.

토끼와 거북

이 글은 토끼와 달리기 시합을 한 거북이 쉬지 않고 기어가 이긴 내용으로, 부지런함의 중요성을 일깨워 주는 세계 명작 동화입니다.

Q2 이야기를 새롭게 바꾸는 방법은 무엇인가요?

A2 시간적·공간적 **배경**에 따라 일어나는 일이 달라질 수 있습니다. 또, 인물의 **성격**이 사건의 전개에 영향을 주기 때문에 인물의 성격을 바꾸면 이야기를 새롭게 바꿀 수 있습니다. 이야기를 완벽하게 바꾸기에는 아직 자녀가 어리므로 이미 새롭게 바꾼 내용을 보고 인물의 입장이 되어 그 마음을 짐작해 보도록 지도해 주시면 됩니다.

토끼는 시합을 하다 말고 쿨쿨 잠을 잤어요.
『거북은 엉금엉금 가다가 토끼가 자는 모습을 보았지만 쉬지 않고 열심히 기어갔어요. 결국 어떻게 되었냐고요? 거북이 산꼭대기에 먼저 도착해 이겼답니다.』

『 』: 거북은 쉬지 않고 기어가 토끼에게 이김.

새로운 내용으로 바꾸어 쓴 ⓔ: 거북이 잠자는 토끼를 깨웠고, 토끼와 거북은 산꼭대기에 함께 도착함.

독서 감상문을 읽어요

본문 138~141쪽

1 (1) 기뻐요 (2) 미안해요
(3) 미워요 (4) 부끄러워요

2 (1) 형제, 자매 (2) 백조, 오리
(3) 교실, 도서실

3 ②

4 (2) ◯

5 미운 아기 오리

6 ③

7 ①

8 ②, ③

1 그림 속 상황을 살펴보고, 인물의 표정에 맞는 마음을 나타내는 말을 찾아 씁니다.

2 포함하는 낱말, 포함되는 낱말을 알맞게 나누어 씁니다.

3 콜럼버스는 새로운 땅을 발견한 유명한 탐험가이고, 탐험을 하면서 많은 어려움을 이겨 냈습니다.

4 '이 책을 읽으면서 부끄러운 마음이 들었다.'가 생각이나 느낌입니다.
| 오답 분석 | (1) 책에 대한 설명임.

5 이 글은『미운 아기 오리』를 읽고 쓴 독서 감상문입니다.

6 미운 아기 오리는 못생기고, 몸집도 크고, 색깔도 까맸습니다.

7 미운 아기 오리의 아빠에 대한 내용은 이야기에 나오지 않습니다.

8 글쓴이는 미운 아기 오리를 읽고 친구를 놀린 일이 떠올라 친구에게 미안했고, 미운 아기 오리가 백조로 변할 때는 참 기뻤습니다.

이렇게 지도하세요

『콜럼버스의 탐험』을 읽고

이 글은『콜럼버스의 탐험』을 읽고 알게 된 내용과 생각이나 느낀 점을 중심으로 쓴 독서 감상문입니다.

Q1 아이가 이 글은 독서 감상문이 아니라 일기이지 않느냐고 묻습니다. 아이에게 쉽게 설명해 줄 방법이 있나요?

A1 독서 감상문은 책을 읽고 생각하거나 느낀 점을 쓴 글입니다. 독서 감상문은 **다양한 형식**으로 쓸 수 있는 특징이 있습니다. 등장인물에게 하고 싶은 말을 쓴 '편지', 책을 읽으면서 느낀 점을 자신의 경험과 비교하여 쓰는 '일기', 자신의 생각이나 느낌을 다른 사람에게 잘 알릴 수 있는 '광고문' 등이 있습니다.

『이 책은 콜럼버스가 한 일을 쓴 것이다. 콜럼버스는 새로운 땅을 발견한 유명한 탐험가이다. 콜럼버스는 탐험을 하면서 많은 어려움을 겪었지만 모두 잘 이겨 냈다.』
『 』: 책에서 재미있고 기억에 남는 부분
『이 책을 읽으면서 부끄러운 마음이 들었다. 나는 조금만 힘들어도 쉽게 포기하기 때문이다.』
『 』: 책을 읽고 난 후의 생각이나 느낌

『미운 아기 오리』를 읽고

이 글은『미운 아기 오리』를 읽고 알게 된 내용과 생각이나 느낀 점을 중심으로 쓴 독서 감상문입니다.

Q2 독서 감상문을 독해하는 방법이 따로 있나요?

A2 글의 종류에 따라 독해 방법이 다르기 때문에 독서 감상문을 독해하는 방법도 따로 있습니다. 독서 감상문은 아래와 같이 **책을 읽게 된 동기, 책에서 재미있고 기억에 남는 부분, 책을 읽고 난 후의 생각이나 느낌**을 구분 지으며 읽도록 연습시켜 주셔야 합니다.

어제 지원이가 재미있게 읽었다고 한 책『미운 아기 오리』를 빌려 읽었습니다. → 책을 읽게 된 동기(까닭)

이 책은 오리 가족 중에 못생겨서 미움을 받은 아기 오리의 이야기입니다. 미운 아기 오리는 형제들과 다르게 못생기고, 몸집도 크고, 색깔도 까맸습니다. …… → 책에서 재미있고 기억에 남는 부분

이 책을 읽으며 친구를 놀렸던 일이 떠올라 그 친구에게 미안한 마음이 들었습니다. → 책을 읽고 난 후의 생각이나 느낌

6주

맨 처음
초능력 국어 독해 P 단계
예비 초등~1학년
정답 및 풀이

맨 처음

초능력 국어 독해